先前的风气

穆涛 著

陕西师范大学出版总社有限公司

图书代号：WX14N0133

图书在版编目（CIP）数据

先前的风气/ 穆涛著. —西安：陕西师范大学出版总社有限公司, 2013.12
 ISBN 978-7-5613-7545-7

Ⅰ．①先… Ⅱ．①穆… Ⅲ．①散文集-中国-当代 Ⅳ．①I267

中国版本图书馆CIP数据核字(2013)第271862号

先前的风气

著　　者／	穆　涛
策划组稿／	刘东风
编辑统筹／	郭永新
责任编辑／	杨　珂
责任校对／	杨　珂　张　佩
封面设计／	宋　群
出版发行／	陕西师范大学出版总社有限公司
	西安市长安南路199号　（邮政编码 710062）
网　　址／	http://www.snupg.com
印　　刷／	中煤地西安地图制印有限公司
开　　本／	889mm×1194mm　1/24
印　　张／	13
插　　页／	2
字　　数／	340千
版　　次／	2013年12月第1版
印　　次／	2013年12月第1次印刷
书　　号／	ISBN 978-7-5613-7545-7
定　　价／	42.00元

读者购书、书店添货或发现印刷装订问题，请与本社营销部联系、调换。
电　　话：（029）85307864　　85251046（传真）

儒风道韵点春秋

乍读穆涛的文字,你很可能将他视为江南才子,因为其文字的讲究和精妙往往透露出才子气,说白了,就是那种儒雅之气,那种仙风道骨之韵。从文字内容的出典到与现实世界的文化现象、作家作品的勾连,他往往采用的是迂回的"曲笔",那种单刀直入的表达方式似乎不是穆涛式文体所用之"伎俩"。然而,这种文风如果使用在长篇大论的高头讲章中是游刃有余的,但是他的文章恰恰就是"卷首语"那样的短文,我常将"丁聪体"与"穆涛体"进行比较,咂出的是异曲同工之妙也。

以杂文进行思想表达,自现代以来一直是以鲁迅先生的"匕首与投枪"式的战法而闻名于世,而沉潜于典籍背后的间接表达方式是当今少有的文体,用"穆涛体"冠之亦不为过。问题的关键就在于:在半文不白的文字表达背后,我们读到了什么?用穆涛自己的话来说,就是"言者有言"!就此而言,我在读穆涛长短错落的杂文时,体悟到的是他在引经据典之后文字的磅礴大气与犀利尖锐，其中一个活脱脱的燕赵之士的形象便跃入眼帘。在《言者有言》里，作者对此做出的散文境界说便可作为最好的注释："境界高悬，但不是虚无缥缈的，是真实可感的存在。古人表达境界有四句常被引用的文学描述，都是很具象的。一句是陆游的，'老来境界全非昨，卧看紫帘一缕香'；一句是王国维的，'蓦然回首，那人却在灯火阑珊处'；一句是苏耆的，'直到天门最高处，不能容物只容身'；一句是陶渊明的，'此中有真意，欲辨已忘言'。这四句话，是哲学，更是文学。"此言正合我意。无论什么文体的文学表达，倘若背后没有哲学底蕴作为支撑，那么其文字的曼妙和技巧的圆熟都无法遮掩其内容的苍白。无疑，我从穆涛的文字背后看到的正是那些我所渴望看到的有思想穿透力的内心表达。仅此，我就应该向他表示敬意。

其实，从上个世纪80年代河北的《文论报》始就与穆涛相识，后来就在平凹办的《美文》上看到他长长短短的文字，知道他在具体操办杂志的事情，感觉到这种"穆涛体"文字的魅力。如果要我对这些文字挑一挑刺的话，我以为，"穆涛体"在针砭时事与文坛现象时，不妨再犀利一些，不可太文气，"鲁迅风"和"丁聪体"皆可鉴也。

文末，我想还是用作者自己的话来作结，因为它也是我们对"穆涛体"的热情寄望。

文学新时期三十年，让我们记住了小说家，同时记着他们的小说；记住了诗人，也记着他们的诗。散文家似乎是个例外，我们可以叫出多位散文家的名字，但同时又能说出他们散文作品的却不多。那么多散文作家在"劳动"，但笔下的字迹风干得稍快了些。"辣手著文章"是一个老对联的下联，辣手不仅是手辣，还是眼辣，心辣，指的是有见地，有分量。

散文不能蘸着清水去写，要蘸墨汁，越浓越好。

丁 帆
于南京大学

我看穆涛

穆涛是属于北方的。灰色城墙边上一座角楼，暗色的金描绘了暗色的蓝，黄昏的时候飞旋着一群蝙蝠，脊吻处是几只昂立的小兽。天色显得深远而空阔。这样的氛围最接近他——低沉，平稳，温暖，看似漫不经心，光芒却无微不至，且一味地随着心性，万千思绪穿过多少朝、多少代，多少年、多少事。这样的精神风度，或是外经封疆燕地、秦城汉都所成，或是内由涵养老庄、浸淫道论所至。故一曰傍日月，挟宇宙，游乎尘垢之外；二曰忘乎物，忘乎天，独与天地精神往来；三曰原天地之美，达万物之理，逍遥于天地之间。因此为文，波澜不惊，却往深邃里用力。又长安写意，在心底处雕梁画栋，字字句句透出千年晨钟暮鼓之钝响来。

一言悟。

穆涛之文，经纬百态，包容万象。所见标题如《正信》《信变》《从一开始看》

《身体里的风气》《信史的沟与壑》《树与碑》《心中贼》《觉悟》《去欲的态度》等，呈现人生的主调。或者它们也正是解锁其门禁、破译其密码的要紧的信息，代表着他对人心世相的印象与态度。而其中，曰历史、曰诗书、曰俗记、曰汉字、曰传统、曰文化、曰智信、曰数字、曰世情……经史春秋、历法农事、道德觉悟、帝王将相、旧砖新墙、文情书画、饮食男女，皆入法眼。又基于这世相百态，谈经论道，笔底求解，心中求真。求解者，凡事追根溯源，舍末求本。求真者，在本质处说话，融之汇之贯之通之，把握规律，言之成理，处之泰然。

比如，他说："一前边是零。但零不是没有，是无限数，是未知数，包含的更多。一是根本的数。一的后边跟着无数的数。先生二，再生三，万物是积累起来的，只要我们有足够的耐心，就可以无休止地一路积累下去……一是广大的，一望无际，一应俱全。一也是时刻变化着的，一波三折，一江春水向东流。一言难尽的那个一，是一切，不是万一。"再如，他说："王阳明说，破山中贼易，破心中贼难。这话真说到点子上。虽说人心是肉长的，但这块肉实在博大精微，复杂无比。比天高，比地厚，比海深，比火热，比金贵，比冰凉，比铁硬，比纸薄。"——从一而言万数，从心而言远志，均由根基而始，是对世间万物之本求一个究竟。事实上，这也是世上最艰难的悖论。足见其心之高阔、质之灵性、思之深远。而语风变幻莫测，指东打西，又慧心所至，万变循踪，句句中的。

再言是。

所谓是者，实事求是之谓。是规律，是客观，是通达，是透彻。穆涛之文，万象中求规律，求本真。比如，何谓"历史"，他说："世事全是人干出来的。一个时期里的人，要对这个时期里的行为承担责任，想不承担也不行，推卸不了，这就叫历史。"比如，何谓"风气"，他说："气的表达叫风，风发为气，即意气风发。气在体内运行不畅，即气滞。气在体内顺行，即不横行。把气在体内捋顺，比把弯的铁棍弄直费劲多了。"比如，何谓"温饱"，他说："饱暖思淫欲，饥寒起盗心。淫欲的另一种说法是享受生活。造反则解决饥寒问题。因此太饱了太饿了都不行。"比如，何谓"画心"，他说，"一幅画也是一个字，象形的字，复杂了的字。心静的人，也能画好画面复杂的画。"

在他所叙述的故事之后，总有一个哲学意味和对世界的观念存在，必有一个形而上的存在以关照。这似是他文章中自然存在的暗格。他所布置和描画的文章，新论迭出，貌如森林，层峦叠嶂，密不透风，高低伸展着繁复的枝条叶片。却叶子连接了枝蔓，枝蔓连接了枝条，枝条连接了枝干，许多根线条形成一个走势，顺着某一种逻辑秩序，终结于根脉核心。这核心才是真正令人触目惊心的。它是赤裸的，也是坦率的，不藏任何的秘密。它是关于他心目中的世界究竟是什么样子的，更有他对人生世态的观念。他所展现的点滴零碎都来自这里。对世界的理解是清晰的，由这个根脉核心抽条出的枝蔓花叶，也是繁复多样而有秩序的。

三言通。

他的文学联系着数学、哲学、经史——让我想到上世纪20年代的张申府先生的《所思》。《所思》中言："不可表现是神秘。可表现是科学。可表现不可表现之间是艺术。清理其表现是哲学。"他说："科学是学，哲学是学之学。"又说："科学是器，器无善恶。如以刀伤手，其责不在刀。"穆涛之文，亦求捅破世人蒙昧的窗户纸，只求一个通透，往往令人称奇。

比如，读经史子集，他说："以前的读书人主要读经史，经史是课本，子集是辅助教材，是课外读物。经史也有分别，经是基础讲义，史是专业课程，先习人事，再练世事。经是常道，世事变迁，但人的基本东西不会变。读经就是卫道，找天地人的大道理。读史是找德，德是什么？德者得也，行到有功便是德。"

又如，他说："不三不四，指一个人做人做事没规矩。依南怀瑾先生的理解，易的卦理有六爻，初爻二爻喻地，三爻四爻喻人，五爻和上爻喻天。不三不四，就是不太会做人，做事情不守人的规矩。""人五人六，有两种说法。一种是空有五脏六腑。五脏，心肝脾肺肾。六腑，胆、胃、小肠、大肠、膀胱、三焦。五脏六腑是人的核心内存，各司其职，各有其责。人五人六的含义是内存完好，但不正常工作。用坊间的大实话说，叫吃人饭，不屙人屎。另一种说法是五常和六艺表面化，徒具虚表。五常是仁义礼智信。六艺是西周时候的学校（庠序）开设的六门功课，礼（礼仪）、乐（音乐）、射（射箭）、御（驾车马）、书（识字）、数（记算）。六艺在以前泛指人的基本才能。"

读穆涛之文，如看静水。乍一看表层，是向一个方向流动。细一看底层，却又是向相反的方向。永远的层层叠叠，深不见底。直看得人全神贯注，心惊肉跳。及至水落石出，又令人有醍醐灌顶之悟。

又言善。

穆涛之文，文如其人。胸中纵有山川沟壑，言之却常常归于平淡。反差之大，令人慨然。又儒道熏染，时空调度，化之于心，常出惊人之语。比如，在《放大了的局部》

中，言"善"、言"规律"、言"弱肉强食"，他说："印度尼西亚有鸟名犀鸟，其犀角在发情时变得深红，这导致当地的恋人们把它敲下来做成饰品、成为信物——必是鸟活着的时候硬生生地敲下来的。实在有些残忍，也没有道理好讲。任何一种动物的局部一旦取悦于人这种高级动物，噩运就连绵不断——因为人类的爱而灭绝的生物远远多于恨或者厌恶，这个世道就这样等级分明。弱肉是强者的美味，这就是规律。"再如，在《头比身子大》中，言"金钱"，他说："金钱本身没什么好说的，硬币或纸币，主要行踪是穿行于各种各样的手掌之中。而人们对它的态度就有趣多了——一个富有的农民或者资本家，在大街上遭到群殴或者言语侮辱，唯一的罪名就是有钱。那个时候，钱是罪孽的代称，有钱就是有罪……在中小学的教育中，把拾到钱交不交警察作为严肃的道德问题，恐怕也是我们特有的。仅仅过了三十年，钱到了今天却成了最美妙的东西。"似乎平常生活中的波澜不惊底下的惊心动魄，掠之如鸽羽飞旋，却在他心里留下印记。那些发生在最繁华、最宏阔的现世中的善恶是非，看起来溢彩流光，惊险全隐藏在不察觉中的突变和失控中。而他述中有慈怀，论中见悲悯。可见他的底调，是沉静，是收敛，是内在，是良善。

　　与穆涛君不过三面之缘。初识穆涛君在河北廊坊。同行者说笑寒暄，其人却常静默。细格衬衫，黑边眼镜，面呈拈花微笑，谦和宽容。及熟，偶出一语，深邃幽默，往往从者大笑，笑后所思，然也。再遇穆涛君在内蒙根河，其时苍原深岭，麋鹿河水。穆涛君仍不显山露水，含而不露。然为友之道，待人以厚，诚信牢靠，细水长流，做的永远比说的多。所主编之《美文》刊物，精益求精，令人篇篇叫好，因名声日隆，为同道者喝彩。三见穆涛君，在西安古城。可见其所经营之《美文》杂志及"报人散文奖"，影响全国。以至颁奖会上，一流学家，胜友如云，群贤毕至。其人仍低调内敛，含蓄温和，往往藏于人后——事情做得大，声不阔，调不高，处之以日常态，可见其人品性。

　　胸中千古事，笔底有春秋。是穆涛文之写照。

徐　虹

目录

儒风道韵点春秋　　　　　　丁帆
我看穆涛　　　　　　　　　徐虹

信史的沟与壑
信史的沟与壑_003
信变_012
玉皇大帝住什么房子_014
树和碑_017
黄帝的三十年之悟_022
多士_024
职官_026
反粒子_029
道理_031
匠_033
敬与耻_035
苜蓿　蒲桃锦　身毒国_037
"儒"这个字_039
谁敢窥天机_041
局限_043
自然者默之成之_045
代价与成本_047

认了_049

《汉书》告诫我们的
算缗和告缗_053
董仲舒的藏身之处_055
《食货志》里的一笔良心账_057
八政与九畴_060
采风是怎么一回事_062
使时见用　功化必盛_065
刘邦的新农村建设_069

身体里的风气
身体器官的服务员_073
笨人_075
内装修_078
去欲的态度_080
气_082
客气_084
会说话_086
睡觉_088
心底那个"愚"字_090
身体里的风气_092

正信
正信_097
敲木鱼_099
觉悟_101
空指什么_103
本钱_105
化和幻_107
什么样的朴素什么样的爱_109

旧砖与新墙
师和傅_113
致中和_115
敬礼_117
静雅_119
标准和榜样_121
清谈和清议_123
读文件_125
大实话_128
神话与鬼话_130
活力源_132
坊间言_134

贾平凹记
给贾平凹的一封信_139
《带灯》这本小说带来了什么_145
两本书：《秦腔》和《废都》_151
创新_153
立场与观念_155
以前_158
收藏_160
千字文_163
另一支笔_165
履历_167

一本文学史著作引发的七个话题
坐船和吃饭_179
带着问题读书_181
李浩怎么读《隋书》_183
事关唐朝的三个问题_185
我们的地域文化意味着什么_188

双轨制或三轨制_191
史家怎么史_193

耳食之言
耳食之言解_199
文学标准和文学生态_200
李渔的"四期三戒"_202
《人间词话》的方法_204
言者有言_206
文学的核心_208
鲁迅在西安_210
虚心实腹_212
境界_214
文风_216
再说文风_218
解放思想_220
简洁_222
乡土散文_224
网络语言_226
搜旧书_228
安黎兄_230
忘我_232
再说忘我_234
夜读抄_236
听说过的两句话_239
四月天_241
河东与河西_243
清明_245
秩序_247
传神_249
内涵_251

描写_253
一杯水_255
小的故事_256
表面的东西_258
念旧的水准_260
回头看_262
时代烙印还是时尚趣味_264
现代精神与民间立场_267
言立而文明_269

文学，文风，以及中国文化气质
文而不化不叫文化_277
文化是有血有肉的_280
化是讲规律的_282
在汉代，文学意味着什么_286
真实　境界　表达_288
底线_292
怎么样理解主见_294

信史的沟与壑

信史的沟与壑

从道德一词的瘦身说起

按旧说法，书分四类，"经、史、子、集"。以前的读书人主要读经史，经史是课本，子集是辅助教材，是课外读物。经史也有分别，经是基础讲义，史是专业课程，先习人事，再练世事。"三十老明经，五十少进士"，指的就是这层意思。经是常道，世事变迁，但人的基本东西不会变，且会持久鲜亮。读经就是卫道，找天地人的大道理。读史是找德，德是什么？"德者得也"，行到有功便是德。"天之大德曰生"，繁衍后代是最大的德行。但德也是有局限的，比如那个"好"字的结构，女有子为好，妇人得了儿子才是好。还有明人陈眉公的那句话，"女子无才便是德"。这是德中的旧观念。笼统地说，德是高尚行为的结果，在一个朝代里，哪些行为是高尚的？哪些行为是卑劣的？不是这个朝代里的人可以定论的，有权有势也不行，皇帝说了也不算，这就是史的价值所在。道和德这两个字最初是分开来讲的，不是一个词汇。到了唐朝，因为一部书，才把这两个字黏合在一起，唐朝尊崇道教，把《老子》一书奉为《道德经》，到唐玄宗李隆基时期达到顶峰。李隆基是很会恋爱的皇帝，也很智慧地热爱老子，他把《道德经》视为自己的"红宝书"，作为治理国家的理论根基，不仅随身读，还御笔注疏。他的智慧之处在"取之于真，不崇其教"。他喜欢老子的三句话："圣人无常心，以百姓心为心""贵以贱为本，高以下为基""民之饥，以其上食税之多，是以饥；民之难治，以其上之有为（为所欲为），是以难治；民之轻死，以其上求生之厚，是以轻死"。李隆基一度是有为的贤明皇帝，他创造了"开元盛世"，政治清明，百姓殷实富足。但到了晚年，又背离了老子这三句话，才有"安史之乱"暴发，强大的唐朝由此走向下坡路，渐行渐衰。

　　道德一词进入现代汉语，被彻底瘦身了，专门指人的修养，传统文化里的有机成分被拧干，仅剩下一个皱巴巴的皮囊，除了一点点液体，什么也装不进去了。

历史的学名叫"春秋"

　　历史的学名叫"春秋"，这是圣人的譬喻，"仲尼厄而作《春秋》"。孔子为什么把历史叫"春秋"，而不叫冬夏？我琢磨出这么几层意思：

　　一、当时是小国政治年代，叫诸侯国，只是比今天的县稍宽敞些，人口也稀疏。据行家估算，当时全国仅二千万人口，比今天的台湾人口还要少四分之一。但是国家数量多，西周时期最多将近八百个，仅山东境内就有四十多个，周室东迁后，《左传》有记载的仍超过一百二十个。小国寡民在弱肉强食的环境里过日子，如危地里的庄稼，春种秋收，得一茬是一茬，说不出可持续发展的松心话。如果当年也是今天的一统天下，有九百六十万平方公里的地大物博，凭孔圣人的智慧，不会叫春秋的，会换另外的视角，可能会叫天空，或海洋什么的。

　　二、冬夏两季表层的东西多，春秋两季深层的变化多，不确定因素多。物如此，人和社会亦如此。

　　三、春天是播种，是开始，是动机。孔子很看重动机，他在《论语·为政》里说诗，"诗三百，一言以蔽之，曰：'思无邪'。"诗与政治貌似不相关，但有一个关键处是相通的，就是"思无邪"，心术要正，动机要纯，出发点要端庄。秋天是收获，是结果。从动机里看居心，在结果中察得失。一个朝代是怎么拉开帷幕的？又是怎么谢幕的？"眼看他起高楼，眼看他楼塌了。"蕴藏其中的东西才是这个朝代留给后世的最大遗产。用刘知几《史通》里的话说，"得失一朝，荣辱千载""孔子作《春秋》，乱臣贼子惧"，乱臣贼子所惧的，正是《春秋》笔法，明察秋毫，微言大义。

四、依农历天时，冬夏叫至，春秋称分，老话叫"日夜分"，分是分明，指的是昼夜平分，白天和黑夜基本持平。审视历史要一碗水端平，要公允，不能挟私用假。"临流无限澄清志，驱却邪螭净海波。"

五、上边写的四款，都是我的瞎琢磨。据王力先生考据，西周早期，再溯以前，一年只分春秋二时，讲春秋，就意味着全年。郑玄笺注"春秋匪解，享祀不忒"为"春秋犹言四时也"。

读史讲致用，温故为知新。温故讲究读史方法，温这个词用得恰当。历史原本已经死去了，只有读活了才可能出新价值。尤其是中国的历史"课本"，有五千年的厚度，很难读，城府深，色调沉，像一个人板着脸孔，古板，刻板，缺情少趣且苦辣，对，是苦辣。像冬天里喝烧酒，要"温"一下口感才稍好些。

我们的历史不太好读的原因，有两点最具中国特色。一、历史是断代的。二、既有帝王术，还有宰相术，两条线索并行，却不是双轨制，是连体的两个人，既互动，也互相牵扯。

截止于清朝，中国有两种国家体制形态，一种是周文王、周武王建立的简单的联邦制——分封建国。周朝鼎盛的时候，有近八百个"加盟共和国"。还有一种就是秦始皇开创的帝国制。这两种国家体制形态都是在陕西这片土地上开创的，陕西被称为"三秦大地"，这个"大"字，陕西这片土地还是承受得住的。但秦朝以降，二十几个朝代的更替不是禅让，不是竞选，也不是一般意义上的自然淘汰，而是革命，是流血牺牲，是枪杆子里面出政权，是打碎了之后重建。这是中国历史叫断代史的原因。读历史读到断裂地带要小心，要提高警惕，要记住两句名言，"一朝天子一朝臣""凡是敌人反对的，我们就要拥护；凡是敌人拥护的，我们就要反对"。革命年代是以胜负论英雄的，基本不管青红皂白。

中国的皇帝，因为是家庭承包制，业务水平差距比较大。像抛物线，高和低的落差很悬殊。但中国的宰相们，基本保持在一条相对高的水准线上。好皇帝和劣皇帝，差别在业务能力上。好宰相和劣宰相，差别不在业务能力，而是心态、心地和心术。

政治里的好和劣是复杂的，心态，心地，心术更复杂，正是这些，愁煞着史官，但也彰显着史官的眼力和人格魅力。

信的视角

有三个常用语，都是臧否人事的，排在一起看，挺有意思。"不三不四""人五人六""乱七八糟"。

不三不四，指一个人做人做事没规矩。依南怀瑾先生的理解，易的卦理有六爻，初爻二爻喻地，三爻四爻喻人，五爻和上爻喻天。不三不四，就是不太会做人，做事情不守人的规矩。

人五人六，有两种说法。一种是空有五脏六腑。五脏，心肝脾肺肾。六腑，胆、胃、小肠、大肠、膀胱、三焦。五脏六腑是人的核心内存，各司其职，各有其责。人五人六的含义是内存完好，但不正常工作。用坊间的大实话说，叫吃人饭，不屙人屎。另一种说法是五常和六艺表面化，徒具虚表。五常是仁义礼智信。六艺是西周时候的学校（庠序）开设的六门功课，礼（礼仪）、乐（音乐）、射（射箭）、御（驾车马）、书（识字）、数（记算）。六艺在以前泛指人的基本才能。

乱七八糟，解释起来要麻烦一些。女子"二七而天癸至"，男子"二八肾气盛，天癸至"。这是《黄帝内经》里的话，"天癸"是男女的基本东西，"天癸至"，就是男女成人了，可行天伦，有了生儿育女的功能。女孩子十四岁，男孩子十六岁，如果天癸未至，该来的不来，就是乱七八糟。七和八，还是中国人传统生活里的大数字。七是神秘的，密切联系着人的生和死。胎儿在宫中孕育，七天一个变化，这是被现代科学证明了的，如今妇科医生给孕妇写诊断书，也是以周计算。人命归天，死后要"祭七"。亡人撒手人寰，走上不归路，也是七天一个行程。从死的那天算起，每七天祭奠一次，"头七""三七""五七"，依坊间的"老理儿"要重祭。"七七"叫"满七"，也叫"断七"，指亡人已过奈何桥，和人间尘缘已然了断。七，影响着一个生命的开始和结束。八，也陪伴着一个人的具体生活。一个人才出生就有了生辰八字，八字是中国人的人生观。《易经》是中国最早的一部经典，用八种自然神态解释世界的构成，乾坤震巽离坎艮兑，即天、地、雷、风、日、月、山、泽，这是中国人最早的世界观。在上古混沌不太开化的年月里，能有这样的世界观，我们的老祖宗实在是了不起。以前科举考试作八股文，有文采叫才高八斗，有城府叫四平八稳，处事圆滑叫八面玲珑，人生得志会威风八面，生活不顺叫倒八辈子霉，与人疏远叫八竿子打不着。中国人过去使用的老秤是十六进制，半斤是八两。七和八里，有自然科学，也隐着生命科学。一个人的生物钟，也因循着这个规律，女子以七计数，男子以八计数。女子长到28至35岁，男子长到32岁至40岁，就到了生理的高峰值，再以后，就一点一点走下坡路。男和女到了56岁那个节点，生理上开始发生显著的变化。男子是阳，阴开始增加了，一个男人以前不管怎么满世界跑，56岁开始就懒得动弹了，喜欢闷在家里。相对应看看，女子56岁以后，阳气升腾，晚上和早晨，去看在公园里扭秧歌的人，女性是占多数的。七和八不能乱，如果乱套了，就没法收拾了。

中国人的生活里，还有一个核心字——信。信是传统价值观，人与人之间被"信"沟通着。臣子的最大心愿是取得皇帝的信任，皇帝想的也是如何取信于民。说一个人不三不四，人五人六，是说一个人活得没有了信誉。乱七八糟更糟糕，是失了天信。

"人而无信，不知其可也""信近乎义"。这是孔子对信的态度，一个人活在世上要立信守信。佛门站在另外的视角说信："信有是有，信无是无"。心诚则灵，指的是要持有信心。还有一个词叫信根，信根有五个字："信、进、念、定、慧"。没有信，不能精进，不精进则无念，不念不定，不定不慧。《华严经》里说："信为道元功德母，长养一切诸善根。"

信本是简单的，因为被不断地转换视角，就复杂化了。

老百姓过日子看重的是言而有信，做事情是"靠谱"，还是"离谱"。有一段民间逸事，讲原深圳市长许宗衡被双规后，家里巨大的保险柜谁也打不开。一个中纪委官员见多识广，说这是极品声控密码锁，密码多用八个字，专案组成员轮流测试，"芝麻开门，芝麻开门""人不为己，天诛地灭""老天保佑，百事平安"等等，无奈屡试屡败，只好押解许宗衡过来，许市长对着保险柜，念念有词，字正腔圆："清正廉洁，执政为民。"柜门应声大开，里面满满当当一柜子硬通货。

《山海经》里记载的鱼和兽，有不少是根据它们各自的叫声命名的，当时这些动物没有名字，我们的祖先就临摹它的叫声称呼它。"石者之山……有兽焉，其状如豹而文题白身，名曰孟极，是善伏，其鸣自呼。"流沙河先生有一段文字，写得很有趣味。"龙，繁体作龍，是形声字。右旁象龙腾形。左上是童字的省略，童省声，读tóng音。左下似月字者为肉字，表示龙是肉食动物。龙古音tóng，正是扬子鳄夜鸣声。扬子鳄名龙，古人说这是'其名自呼'"。现实里的例子多的是，蛐蛐、雀、鸦、鸭、鹅、鸠、鹧鸪、猫、蛇、蛙，都是其名自呼。

清正廉洁，执政为民，不要成为官人的自呼。

两个故事，一种风范

文天祥《正气歌》里的"在齐太史简，在晋董狐笔"，含着史官守节，秉笔直书的两个故事。

董狐是晋国的史官。

晋灵公荒政也暴政，"厚敛于民，广兴土木，好为游戏"。在郊外建了一个别墅，大种奇花异草，其中桃花最盛，因此取名桃园。晋灵公荒政不荒园，终日在桃园里取乐。据《左传》记载，他有两个暴政细节。桃园里有一个高台，晋灵公在台上和宠臣搞"飞弹比赛"，靶子是园外的百姓。"中目者为胜；中肩臂者免；不中者以大斗罚之。""台上高叫一声：'看弹！'弓如月满，弹似流星，人丛中有一人弹去了半只耳朵，一个弹中了左胛。吓得百姓每乱惊乱逃，乱嚷乱挤，齐叫道：'弹又来了！'灵公……索性教左右会放弹的，一齐都放。那弹丸如雨点一般飞去，百姓躲避不迭，也有破头的，伤额的，弹出眼乌珠的，打落门牙的。"（《东周列国志》）第二个细节是杀厨师。一天晋灵公想吃熊掌，酒热了单等这道大菜，几番催促后终于端上来了，但肉不太烂，灵公"以铜斗击杀之，又砍为数断"。当时赵盾是相国，因屡屡上谏引发晋灵公不满，欲除之而后快。赵盾命大，得以逃亡在外。第二年，武将赵穿在桃园内设计杀了晋灵公，迎赵盾回都城。赵盾以相国之责，拥立新君，晋国开启晋成公时代。

太史董狐在史书上记述这件事是"赵盾弑其君"。赵盾知道后大惊，反复解释这件事和他没关系。董狐坚持自己的观点：你是相国，虽然出逃在外，但没出国境。返回都城也没有讨伐弑君之贼。如果说和你没关系，谁会相信呢？"是是非非，号为信史。吾头可断，此简不可改也。"（《东周列国志》）孔子对这件事的评价是："董狐，古之良史也，书法不隐。赵宣子，古之良大夫也，为法受恶。惜也，越竟乃免。"

"在齐太史简"，写的是齐国一家三兄弟，一树三枝，同为太史。

崔杼是齐庄公倚重的大臣，倚重的方法有点偏，只因齐庄公和他的爱妾有私情，还拿这件事奚落他。崔杼把齐庄公杀了。

齐国太史在史书上记，"崔杼弑其君"，崔杼大怒，把太史杀了。命太史弟弟重写，还是"崔杼弑其君"，崔杼再怒而杀之。又命太史的小弟弟写，见仍然是"崔杼弑其君"。崔杼害怕了，刀枪入鞘，知道硬骨头的史官是杀不完的。

由史官而史馆

中国是最重视史的国家。著史叫治史，和治理国家一样的分量。也叫修史。修史是什么意思？从字面理解，历史不完整、有漏洞，要修补；错讹的地方，要修正；丑陋的地方，要修饰，要装修。史被修来修去，找它的真面目就越来越难了。

最初，史官的地位很高，像爵位，由皇帝授受，可世袭，可家传，真正"德艺双馨"的人才有资格担任。仓颉是黄帝的史官，早晨造字，晚上记事。但这是传说，无据可考。中国自商朝开始设立史官制度，史官的职责是如实记录天子的言行，"左史记言，右史记事"。那个时候，历史是个人写作，史官的良心有多厚，史书的分量就有多重。春秋以降，直至秦汉、两晋，出产了一批才高八斗，肝胆正气的史官，董狐、齐太史、司马迁、班固仅是其中的代表。

从前的规矩严，史官"据迹实录"，帝王是不能御览的，这是"硬性规定"。其中的要义是"君史两立""以史制君"。但皇帝也不是吃软饭的，为防患"以史制君"，唐太宗李世民在贞观三年推出"史馆"制度，历史由个人编撰"升格"为集体创作，并由宰相领衔。"总知其务"，史修成后要"书成进御"。史馆的"规格"大了，但史的亮度和信度也开始大打折扣了。"史馆修史，书成众手，史才难觅，职任不清，所修史书，文芜体散。"这种说法不过是一种推辞，最大的弊端是"书成进御"。

"孔子作春秋，乱臣贼子惧"的时代是从唐朝结束的。但史馆制度实行的初年，"君史两立"的遗风还在。贞观十六年四月里的一天，李世民想看看记录他日常行为的《起居注》，遭到了负责述录《起居注》的褚遂良的直拒，当时君臣间的对话很有意思，问的直接，答得了当。

"卿记起居，大抵人君得观之否？"

"今之起居，古之左右史也，善恶必记，戒人主不为非法，未闻天子自观史也。"

"朕有不善，卿必记耶？"

"守道不如守官，臣职载笔，君举必书。"

李世民富有明君作派，才有了褚遂良的贤臣骨气。或者反过来说，有褚遂良这等大臣，才有了改变世界的李世民。

诸葛亮防"以史制君"有他自己的一套办法，就是不设史官。魏蜀吴三国，只有蜀史官空缺。陈寿在《三国志》里的评价是："国不置史，注记无官，是以行事多遗，灾异靡书。诸葛亮虽达于为政，凡此之类，犹有未周焉。"

斗转星移，自唐以后，帝王不仅察看《起居注》一类的日常记录，甚而直接主持修史，既当教练员，也当裁判，皇帝是越当越辛苦了。史书越写越厚，但有了一个大缺憾，"史以醒世"的功能弱了，多了粉世的功能。皇帝修史，地方大员修志，史志成了皇帝以及地方官的专用化妆品。清朝雍正乾隆时期，一些读书人闹过一阵子"不读史"的学潮，在书信和笔记里，把史写成屎。《大清见闻录》里讲了一个笑话：一天，老天爷捂着嘴窃笑，老天奶奶在一旁问，"笑什么呢？你个老不正经的。"老天爷连笑带咳嗽着说，"人间又造了两个字，实在忍不住，不得不笑。"说着张开手，掌心里写着两个字：信史。

班固的厉害处

班固的籍贯是陕西咸阳人，史载是"扶风安陵"，这里要做个说明，"扶风"不是今天的扶风县，安陵也不是战国时候的安陵国。汉朝建都长安，都城周围是畿辅要地，设京兆尹、左冯翊、右扶风三个特别行政区管理，时称三辅。右扶风下辖咸阳、兴平一带。安陵是汉代第二个皇帝刘盈的墓地，刘盈即汉惠帝，吕后生产，一生性格软弱，惟母命是尊。司马迁著《史记》甚而不设《惠帝本纪》，而是设《吕太后本纪》。刘盈七岁为太子，十六岁执大业，二十四岁山崩，葬安陵。安陵在今天的咸阳市渭城区内，东汉时候属右扶风。

班固一生两次坐牢，第一次坐牢使他名望大振，第二次把牢底坐穿，死于囚内。

班固家出身，父亲班彪是名太史，著《史记后传》。父亲亡后，班固归乡居丧期间修订重著《太史后传》，即《汉书》，被"明眼人"告发，以"私修国史"罪名入狱。"陷于斯，显于斯""如此总如此"，这两句话讲的是世事的大因与大果。班固"私修"的国史因才高言重被汉明帝赏识，特赦后授"兰台令史"，正式修撰国史。这是班固第一次坐牢。

第二次坐牢要从班固"投笔从戎"以后说起。

窦宪是"外戚专权"的一个典型人物，他妹妹先为章皇后，即汉章帝的正宫，章帝崩后，继而窦太后。窦宪以"国舅"之威显赫当时，他最大的政功是两次率军北平匈奴，第一次出兵打到今天的蒙古境内，第二次率兵一直征讨到新疆哈密以西。两次出兵赢来了北方多年的和谐安定。班固与窦宪是"乡党"，都是右扶风人。班固追随窦宪北征西伐，既是参谋，也是秘书，首次出征，大破匈奴，作《封燕然山铭》，记载北伐的赫然战功。范仲淹诗中写过的"燕然未勒归无计"，指的就是这件事。几年后窦宪居功欺主，失势后自戮。班固被当作余孽入狱，同年死于牢中，时年61岁。班固的一生，可以说是生的光荣，死的却不伟大。

世上有两种人，男人和女人。有两件事，文事和武事。武将带文采的，是增本事。文人有武艺的，也是增本事。但亦文人又武人的，看历史上的一些人证，人生的结局多有大麻烦。茄子一行豇豆一行。什么树结什么果，嫁接的果树，比如那种叫"苹果梨"的，只是暂时的丰产，口感也特殊一些，但树的晚景不保。

《汉书》是班固的突出贡献，是中国第一部断代史。班固的世界观尚儒，守君臣父子道。他批评司马迁"论大道则先黄老，而后六经，序游侠则退处士而进奸雄，述货殖则崇势利而羞贫贱"，其实这是史家司马迁世界观里的开阔地带。班固著《汉书》也有"出格"之笔，在写法上虽说循《春秋》的萍踪，但《春秋》是时政要闻概述那一类写法，《汉书》则"言赅事备"，注重细节的饱满与"杀伤力"。如开卷之作《高帝纪第一上》的开头一段：

高祖，沛丰邑中阳里人也，姓刘氏。母媪尝息大泽之陂，梦与神遇。是时雷电晦冥，父太公往视，则见交龙于上。已而有娠，遂产高祖。

做皇帝的，都不是一般人，不是父生母养的，是天子。做臣子的职责是努力找出天生地造的证据。班固是史官，虽守君臣节义，却也因文心ао文胆，写刘妈妈的受孕过程，一个农妇的雨中"神交"，是刘爸爸亲眼见到的。难得的"春秋"笔法，真是从心所欲又不逾矩，向班固同志学习。

信变

信皇帝,是守旧,是僵化。改信总统,就是进步?我看不一定,关键还得看怎么样去信,具体问题要具体分析。用信皇帝那种心态去信总统,做洋奴才,并不比土奴才高尚多少。

《列子》里讲过周穆王信变的故事。

周穆王叫姬满,是西周第五位天子,史上尊称神仙皇帝。他执政很有一套雄才大略,创造了中国历史上第一个路不拾遗的民富国强时代。最了不起的是,作为国家的一把手,他很注重培养个人的终极信仰。"周穆王时,西极之国有化人来,入水火,贯金石;反山川,移城邑;乘虚不坠,触实不碍。千变万化,不可穷极。既已变物之形,又且易人之虑。"面对这位身怀高科技手段的化人,"穆王敬之若神,事之若君。推路寝(自己的住所)以居之,引三牲以进之,选女乐以娱之"。但这位化人

"以为王之宫室卑陋而不可处,王之厨馔腥蝼而不可飨,王之嫔御膻恶而不可亲"。穆王于是又举倾国之力为他造了一所宫寝,"五府为虚,而台始成。其高千仞,临终南之上,号曰中天之台"。这位化人"犹不舍然,不得已而临之"。

见到穆王闷闷不乐,化人带着他"访问"了一次自己的国家,"王执化人之祛,腾而上者,中天乃止。""化人之宫构以金银,络以珠玉;出云雨之上,而不知下之据,望之若屯云焉。耳目所观听,鼻口所纳尝,皆非人间之有。"化人的居住地是另一番天地,已脱离了地球。阳光不是太阳的,月华不是月亮的,"仰不见日月,俯不见河海。光影所照,王目眩不能得视;音响所来,王耳乱不能得听"。穆王在这个环境里根本待不下去,"百骸六藏,悸而不凝。意迷精丧,请化人求还"。穆王的这次访问是一次神游,只是打了个盹的功夫,醒过神来后,桌上的稠酒还没有沉淀清澈,菜肴也未凉。"酒未清,肴未昲。"化人据实告诉穆王:"我在你这里住得不舒服,就像你在我那里住得不舒服。"

日月不同,信仰差异。穆王意识到这个道理,驾乘自己的八匹宝马,西去昆仑山。这八匹旷世宝马,分别叫赤骥,盗骊,白义,逾轮,山子,渠黄,骅骝,绿耳。驾马的师傅是造父和离孈。在昆仑之巅,"以观黄帝之宫;而封之以诒后世"。王母娘娘在瑶池设宴厚待,还亲自为穆王歌唱,"王和之,其辞哀焉"。穆王所哀,该是迟了这么久才找到自己的灵魂寄托吧。

神话不同于人间话之处,是既可以当成无上妙语,也可以看作纯粹扯闲篇。关于穆王西去昆仑的这一段传说,后世有多种解读,其中一种是,身为天子,不带领老百姓聚精会神搞建设,一心一意谋发展,而去四处闲逛。"瑶池西赴王母宴,七庙经年不亲荐。璧台南与盛姬游,明堂不复朝诸侯。"诗是好诗,却是人间话。一个普通人建立个人信仰是重要的,大人物应该更重要。

玉皇大帝住什么房子

玉皇大帝住什么房子？吴承恩在《西游记》里是按人间帝王的设计的。吴承恩是明朝嘉靖年间的贡生，最高职位做到县丞，县丞是县令的助手，老百姓尊称"八品县丞"。如今的作家挂职锻炼，也多任县丞级。《聊斋志异》的捉笔人蒲松龄是清朝的贡生，他官至县学的"儒学训导"，相当于县党校副校长。职位是虚设，因而才有闲心情去搜集那么多闲闻野趣。贡生还有一个别称，叫举人副榜。两位留驻青史的超一流作家学历都不算高，但写作的大思路比较接近，都是旁走一辙，异想天开。神仙鬼怪的行为方式，临摹着人间烟火的标准，佛也受贿，鬼也多情。玉帝是天尊，在吴承恩的笔下享受的却是人间天子的住房待遇，该算屈尊。吴承恩级别低，当年没有机会亲眼去看皇帝住什么样的房子，因此玉帝的住处也多是虚写。天庭里君臣答对也是依着宫廷庭对的样子。这一套他比较熟悉，没吃过羊肉，但羊怎么走他是知道的。称玉帝也叫万岁，

"'万岁，通明殿外有东海龙王敖广进表，听天尊宣诏。'玉帝传旨，着宣来"。皇上的住处叫宫殿，这是硬性规定。但比皇上级别高的，就不方便再叫别的了，想象力高却不逾矩，这是我们国人的文统意识。遇到高的不知怎么办，遇到低的敢于放开手提拔。比如美国总统的住处，英文叫白房子（White House），含着与民同乐的平等意思，但我们的翻译界却译为"白宫"。再比如，婴儿出生前的住处，叫子宫。每个人出生前都是享受帝王待遇的，这是我们国人的人生观，"天之大德曰生"。普通人家的孩子出生叫落草，因为普通人的大名叫草民。

旧小说在旧文学里是不入流的，上不了大席面。小说的名称以小字开头，不是自谦，不是小的如何如何的意思。叫小说是旧文学观。散文是立言，是树人，是文之正。小说是闲情逸致，是纯粹的业余写作。用流行过的那个词说，散文是大我，小说是小我。旧小说的基础是街巷掌故和乡野故事，写作形式受评书的直接影响，因此小说的结构形式以"回"分列，每一章结束的那句话是"且听下回分解"，接下来新的一章又以"上回说到"开始。中国的旧小说在世界文学史里是最具听觉效果的，旧小说写家最大的虚荣是被一流的说书人选中。如今的新小说追求视觉效果，进电视，入电影院，一部小说被名导演选中，名头再重的作家也要偷着乐几回。时代变迁了，新旧小说已经完全是两回事，如今的小说是新文学里的正果，是正宗。一个人写了几本散文，几本诗，分量上是比不过一本小说的。稍有一点点遗憾的，是小说这个名称，当兵打仗时叫二狗，如今做了上将军，名字也该换换了。

我们旧小说里有三种东西，让外国的读者不太好理解。一是传奇志异类的，仙女、狐或蛇主动变幻成人形，目的是享受人世的美好生活。在他们的童话和传说里，则是由人变成动物，其中有一些是巫术导致的，但结局是良心和正义占了上风，真相大白后，还要变回去。我们的就不变了，除非犯了错误，或本事太大，引起了神鬼界的不满。鬼怪为摆脱阴暗的日子到人间还好理解一些，不好理解的是，鬼怪又出奇的美丽和善良，仙女思凡的细节更不好接受，在国外人的认识里，神就是神，在天堂大门的那一边，偶尔出来做些善事还可以，到这边来过日子是纯粹的中国制造。一位搞文学研究的洋鬼子这么写：在中国小说里，大的神要设法管住小的神，尤其是漂亮的女神，不让他们嫁到人间。

第二种是老实人形象。一个男人其貌不扬，本事稀松平常，日子过得也寒酸，最大的优点是老实本分。突然有一天，仙女或狐仙、蛇仙出现了，想尽一切方法，冲破层层阻隔终于嫁给了他。这种事被洋鬼子读成是中国的说教智慧。他们知道吃不到葡萄说葡萄酸的故事,但不知道中国还有一个成语,叫望梅止渴。

第三种是旧小说叙述形式里的开头诗和结尾诗。一个洋文章解读为:"小说开头的诗介绍故事梗概,这是出版商做的事。小说告一段落或结尾的诗是道德评点,但这可不是好的书评人乐于做的事。"另一个文章说的好听一些,中国小说里开头和结尾的诗"似乎是叙述的护舰队和卫兵"。

旧小说尽管有不少"陋习",但读着真过瘾、真文学,也真中国化。仅仅是读着文字,都是一种大享受。因为爱读这些"旧货",对评论这些"旧货"的文字也捎带着看一点。洋行家写的没什么意思,他们对中国文化的底子知道的太少。我们自己新行家写的也不太喜欢,新行家用的也多是"先锋"的洋理论,夹杂着半生不熟的译文体的学术单词,读起来不对味儿,感觉是用制裁西装的尺子比量唐装。现在不少工厂都在讲"本土化"的话题,贴牌生产的产品在大幅减少,好像文学研究界这边动静不太大。

最近省上一位退下来的重要领导,要我推荐几本小说,我买了一套"禁毁小说"送给他,厚厚的十大本,是几十部明清小说的合集。一周过后,他告诉我:"好呀,好呀,真是好。"他说现在的小说虚假,但胆子大,不熟悉的都敢写,列举了几本"著名的反腐小说"的名目。他说的有趣:"细节不真实,开会不是那么开会,受贿也不是那么受贿,这几位作家对中国政治不太在行。"我告诉这位领导,这怪不得作家,作家挂职才是副县级,要是挂上副总理就熟悉生活了。

吴承恩真是了不起,对于不熟悉的生活,他不敢把笔落得太细致。

树和碑

汤阴作为县的名字,被叫了2300年左右,可以追溯到西汉初年。由汉再往上行,这片土地上发生的事情多数已被历史的灰尘掩盖住了,但有些仍然模糊可见。战国时期,这里是《诗经》邶风吹拂的地方。在周代,是文王受难纪念地。在商代,是国家监狱所在地。在夏代,飘渺的只剩下了一段关于龙的传说。

老地方要有老字号。老字号如同一部好小说里的好细节,能让老地方生动而且持久。汤阴久富盛名的老字号有两个,一是"文王拘而演周易"的羑里城,一是岳忠武王庙。今天的羑里城早已没有了商代国家监狱的血腥气,树木茂盛,光长影短。武穆将军岳飞身前威武,身后也威武,庙内廊亭疏阔,碑碣林立,现有存碑342块。树往上生长,长的是无量的功德,碑碣朝下栽,栽种的是教训和纪念。2009年8月,拜谒过两处老字号后,我写了一句顺口溜:文王堂前树,武穆院里碑。一方一世界,各自生光辉。

我们从周文王身上继承了什么

细算一下，我们从周文王身上真是继承了不少大的遗产。

《易经》是一例，"以礼入教"是另一例。中国人没有土产的宗教，但不能总是敬鬼神而远之。这么广袤的土地，这么多的人口，怎么样才能更好地治理？以礼入教，以德治国，以人心的和谐维持政府的存在是周文王的大胆发明。还有作为国家机器框架的"周礼六官"。自周之后，后续朝代政府部门的职能分类，包括今天现行的国家机构的职能设置，鼻祖都在周朝。

周文王是黄帝的直系血脉。据《史记·周本纪》的说法，后稷是黄帝之后，后稷生不窋，不窋生鞠，鞠生公刘，而后庆节、皇朴、差弗、毁隃、公非、高圉、亚圉、公叔祖类，直至古公亶父生季历，季历生姬昌，姬昌就是周文王。"黄帝二十五子，得其姓者十四人"（《史记·五帝本纪》），坊间传说周文王儿子总数过百，但有记载的只是十七位，其中长子，次子，四子名气最大。长子是伯邑考，就是文王身陷国家监狱羑里城时，被商纣王做成肉汤的那位，文王无奈中喝下旋即吐出，至今在羑里城还有"吐儿冢"，吐儿与兔儿谐音，做兔肉的生意人不要去汤阴，天下只有那一片地方敬重兔子为神物。次子姬发，即周武王。四子周公旦是周礼的总设计师，"我周公，作周礼，著六官，有政体"（《三字经》）。周公的封地在鲁国，西周的典章礼制在鲁国实施的最得体。孔子早年曾以"相礼"为职业，一直到晚年，他的核心思想仍是"克己复礼"。

周文王实行的是老人政治，且获得了极大成功。文王大概生于公元前1147年，出生地是岐下（今陕西省岐山县）。继西伯位时已经45岁，82岁那年被商纣王拘禁羑里，"拘而演周易"，演周易是高密度的强脑力工作。"闲坐小窗读《易经》，不知春去已多时。"八卦指乾坤震巽离坎艮兑，即天地雷风日月山泽，古人用此八种自然状态结构世界，这是中国人最早的宇宙观，是中国的大智慧。周文王用七年的时间对先天八卦（伏羲八卦）进行重新定位和继承思考，由八卦演绎为六十四卦。孔子给《周易》的评价是"洁静精微，易之教也"，"洁静"是头脑冷静，"精微"是思维缜密。一个人到了八十二岁高龄，仍保持着如此旺盛而严谨的思辨力，不得不承认是得天独厚，得了在天之灵。九十岁文王迈步出牢监，九十三岁访得旷世贤相姜太公，姜太公那一年也已经八十二岁，两位白发老人大袖飘飘走天下，用今天那句俗不可耐的俗话说，真是"一道亮丽的风景线"。

文王九十七岁山崩，一生恪守西伯位，称霸不称王，"顺商而治"是他的道德底线,"武王伐纣"是他身后的事。文王是武王姬发颁发给他的谥号,生前他并不以这样的称号自居。

文王出狱使用的手段也是留给后世的"精神遗产"。商纣王因为西伯姬昌深得民心,担心众望所归才拘而禁之的,就如同蒋介石拘禁张学良,也是准备一生"不放虎"的。但文王远比张学良高明,用美女、珍宝、从事学术工作(演易)三大法宝,换得了自由身。韬光养晦这个词,被周文王用至极致。

清人黄履平有《文王赞》诗,读着让人心旷神不怡:"独立不惧,开物成务。王臣蹇蹇,匪躬之故。用说桎梏,利用行师。先否后喜,文王以之。柔顺利贞,用晦而明。作易忧患。因二济行,圣人之情。与天地准,大德日生。"

三百六十行的由来

三百六十行,行行出状元。行是职业,是工种。旧说法有肉肆行,酱料行,鱼行,铁器行,茶行,药行,纸行,衣行,宫粉行,等等。三百六十行这个具体数字,出处在《周礼六官》。

六官是周代政府机构的六种设置,天官冢宰,地官司徒,春官宗伯,夏官司马,秋官司寇,冬官司空。唐朝的机构设置为"三省六部",三省是中书省,门下省,尚书省。六部为吏、户、礼、兵、刑、工,由尚书省统治。

天官冢宰"掌邦治,均邦国",是治官,下辖63官。

地官司徒"掌邦教,抚邦国",是教官,下辖78官。

春官宗伯"掌邦礼,和邦国",是礼官,下辖70官。

夏官司马"掌邦政,平邦国",是政官,下辖69官。

秋官司寇"掌邦禁",是刑官,下辖66官。

冬官司空是事官,但司空原文在汉代漫失,后以《考工记》补入,下辖30官。

六官合数为376,因司空一文无实考,天下的职业泛称三百六十行。

《易》的通变与不变

《易》是一部讲通变与不变的书。

世上的事和物，没有一样是不变的，每一种都在变，每一时刻都在变。我们走在路上，每走一步，吹在身上的风是不一样的。我们游在河里，每向前划一下，流经身体的水是不一样的。便是我们不在其中，风和水仍然在那里变化，笼罩并影响着人们的生活。《易》告诉我们，这个世界上，每一时都在推陈，每一刻都在出新。这就是通变。

知道了变，是尊重自然。仅仅尊重自然是不够的，找出变化规律才叫认识自然。水往低处流是规律，天地间的昼夜交替是规律，一棵树在一年里春花秋实，叶生叶落是规律。由物的规律再比照出人与事的规律，做到这一点，就叫提高了认识。周文王了不起的成就，就在于用八种自然状态之间的纠葛去比照着寻找天、地、物之间的变化规律。

周文王另一个突出贡献，是告诉人们，事物都在变化这一原则是不变的。万变不离其宗，造物主是不变的。一切的变是在这个不变的基础上运行的。

孔子对《易》的颂扬是"洁静精微"。对《易》的担心是"其失也，贼"。我理解有两层含义，一是研究《易》要走正路，心机要纯正，要把学到的东西运用到有益于人，有益于社会的领域。二是研究《易》要走大路，走宽敞路，要领略《易》的大义。仅用《易》来求签问卜，预测人生，不是恢扬《易》的光辉。

德艺双馨的岳飞

周文王出生时，有一只赤鸟落在房顶上，爷爷古公亶父看见了大喜，认为是有"圣瑞"。岳飞出生的时候，有一只大鸟从屋顶上飞鸣而过，父亲给他取名岳飞。这是皇家和普通人家在世界观上的区别。

岳飞一生战功赫赫，尽忠报国，有德有艺。身前是一代名将，身后是忠孝精神的领袖，虽没有善终，却广得善后。一首《满江红》让后世的百姓振奋，一句"文臣不爱钱，武臣不惜命，天下当太平"，让后世的臣子汗颜。清人何金寿"乃文乃武"四个大字，至今高悬岳飞庙的门楣。

岳飞庙建自明代，明清两朝多次修缮，清朝似乎更重视一些，乾隆皇帝祭扫一次，存《经武穆祠》诗一首，光绪皇帝和慈禧太后分别题写"百战神威""忠灵未泯"匾额。1932年，时任汤阴县长的段国栋倡议重修，"圮者植，缺者完，朽者坚，黝者丹垩。孝娥殿旧毁于火，重建如故"。自岳飞庙建立，人为的大规模破坏只有1966年开始的"文化大革命"。"'造反派'在'破四旧'的口号下，对岳飞庙各项设施进行了严重破坏。岳飞及其他塑像被拉倒；施全铜像被送到工厂熔化；秦桧等5具铁跪像也被送去熔炼；所有匾额、楹联被摘掉；古建筑上的琉璃构件被毁；碑碣大部分被推翻，有的被砸毁。某'造反司令部'驻进岳飞庙。1969年，县文化馆、展览馆迁入岳飞庙。为减少岳飞庙的文物损失，工作人员把零散的碑刻埋藏在地下，将正殿前数通高大的碑刻和乾隆御碑用砖砌成墙，抹光墙面，写上毛泽东诗词和'革命标语'。正殿、寝殿分别办成'雷锋事迹展览'和'农业展览'。孝娥祠改为'图书馆'，三代祠，岳雲祠、四子祠、岳珂祠、张宪祠改作办公室或者职工住室，正殿院两厢房办成'阶级教育展览室'，仿照四川刘文彩收租院的形式泥塑人物104个。岳飞庙至此变得面目全非。"（《岳飞庙志》）

1979年开始翻新重建，又因为渗入了旅游参观门票受益诸因素，规模与建制包括承建的动机，没有超过明清两朝。历史是醒世的，但以实用的态度对待历史，醒世的功能就被打了折扣。

黄帝的三十年之悟

据医生说,人的脑髓是一种灰色的物质。

灰色是不动声色,包罗万象。黑和白掺和在一起是灰,红黄蓝掺和在一起还是灰。颜色越杂,灰得越沉。物质,当然还有思想,充分燃烧之后是灰的。天破晓,地之初是灰的。天苍苍,野茫茫,苍和茫都闪烁着灰的光质。在希望和失望的交叉地带上,是一览无余的灰色。一个人呐,灰什么都行,心万万不能灰的,心要透亮,不能杂芜。

中国人做事情,强调用脑子,不仅讲能力,讲水平,还讲究上境界。上了境界叫超一流。一本好书,一幅好画,一支好曲子带给我们的益处自不待言。超一流的木匠、裁缝、厨子可以极大地优化我们的生存质量。再往实惠里说,经济上忽冷忽热是缺乏上境界的经济学家,国家边疆滋事纷纷是缺乏上境界的军事家,民怨载道是缺乏上境界的政治家。做事情上境界,不仅是把事做好了,还要捕捉到做事的规律。

中国人真正相信的东西其实不多，但对黄帝，是骨子里自发的迷信，着迷一般的坚信。无论海内的，还是海外的，只要是华人都自傲为他的子孙，附庸其后。黄帝是中国历史上唯一一位不被争议的国家领导人，既领袖当年，也滋润着几千年的民心民愿。

传说中黄帝在位五十八年。那时候还没有史书，他老人家正在致力于发明文字，启动国家扫盲工程不是使民识字，而是一个一个制造汉字。没有史书，不能叫史载，只好传说。我们现在所知道的黄帝的丰功伟绩，都是传说。黄帝履任的前十五年，和后朝的多数皇帝差不多，不断地树立个人威信，喜欢被紧密围绕，也吃喝玩乐什么的，"喜天下戴己，养正命，娱耳目，供鼻口"。第二个十五年黄帝真的干活了，"忧天下之不治，竭聪明，进智力，营百姓"。聚精会神搞建设，一心一意谋发展。立国三十年的时候，当时的大中华呈现了一片表面繁荣的局面。到了这个节骨眼上，黄帝显示出了超凡脱俗的一面，开始了由治国到治世的思考，思考了三个月。"放万机，舍宫寝，去直侍，彻钟悬，减厨膳，退而闲居大庭之馆，斋心服形，三月不亲政事。""斋心服形"这个词要注意，吃斋，不是一股劲的吃素食，而是养斋心。牛马大象一辈子都吃素的，仍然牛马大象而已。

黄帝的了不起在于构建了完全中国化的政治理想。他的政治理想不是一个观念，或几个代表，而是实实在在的国家蓝图。这个蓝图是他梦中到过的"华胥国"："其国无帅长，自然而已；其民无嗜欲，自然而已。不知乐生，不知恶死，故无夭殇；不知亲己，不知疏物，故无爱憎；不知背逆，不知向顺，故无利害；都无所爱惜，都无所畏忌。"黄帝是最早提出民权民生民本的政治家。黄帝思考成熟了之后，召集"天老、力牧、太山稽"等几位重要阁僚，告知他们，以后就照着这张图纸去干吧。"又二十八年，天下大治，几若华胥氏之国。"

黄帝告诫大臣还有一句核心的话："今知至道不可以情求矣，朕知之矣！朕得之矣！"情是人欲，人之常情是要认真对待的，但要站在更高的层面去思考这个问题。这句话真现代，经济泡沫是什么？就是人欲的泡沫。通货膨胀这个词的文学表达叫物欲横流。

多士

《多士》是周公的一篇演讲词，记录于《尚书》内。

周公是中国大宰相的开端人物，有智慧、有胸襟、有境界，也有感情。如果历史记载可靠的话，后朝的芸芸宰相里，可以这么说，无出其右者。周公是文王第四子，武王胞弟，"自文王在时，旦（周公）为子孝，笃仁，异于群子。及武王即位，旦常辅翼武王，用事居多。"（《史记》）周公辅佐武王襄定天下，翦灭殷商后，且行仁政，封商纣之子武庚于商地，"以续殷祀"，派兄弟管叔、蔡叔、霍叔抚民监国。武王山崩，其子姬诵即位周成王，"成王少，在襁褓之中"（《史记》），周公"摄行政当国"。此期间，"三监"与武庚趁"主幼"谋叛，周公率军平反除奸，为绝后患，把殷商名门旧臣等一大批"精英分子"整体西迁至"洛邑"（今洛阳城内），"移民"工作结束后，周公给这批精英分子做了一次集体谈话，即是《多士》。多士是周公对这群人的雅称,相当于现代称呼里的"各位",史书里记作"殷顽民","成周既成,洛阳下都,迁殷顽民,殷大夫士心不则(测)德义之经,故徙近王都教诲之。"

周公是周朝政治的总设计师。创制之一是"嫡长子继帝位,余子分封制",商朝大位的传承以"兄终弟及"为先(三监与武庚的叛乱,初因亦是基于商朝这种传脉元素,以为周公名为摄政,实为谋国)。创制之二是封建制与宗法关系融合,每个诸侯国均建宗庙,推崇"明德有序,孝友为宗"。"其始祖被全疆域人众供奉,保持一种准亲属关系。"(黄仁宇语)国家的精神文明建设不在口头上,也不在表面形式上,而是与人们的日常生活相关联,把树根扎在具体的泥土之中。外在的疆域广大,由内在的道德认知充和,这一模式被后世的孔子归纳为"礼",且由礼而理,渐而繁育为中国传统文化精神的核。孔子讲的"克己复礼",涵义即在此。

《多士》这篇演讲词,讲了三方面内容:一是纣王不敬天,暴虐,不遵汤法,乱德。商汤灭夏桀建立殷商,是应天而为,从商汤到帝乙三十位帝君不敢违背天德,也能够与天一样给子民恩泽。"自成汤至于帝乙……殷王亦罔敢失帝,周不配天其泽。"纣王反其道而行,上天才降下丧亡大祸。"惟时上帝不保,降若兹大丧。"二是殷人不明。周取代殷商与殷代夏一样,是顺天而为,但你们不服从周的治理,发动叛乱,这是把你们移民到这里的原因。第三点就有点语重心长的意思了,殷人是有历史文献的,记载的也详尽,殷灭亡夏之后,曾选拔留用旧臣担任官职。但我如今不能任用你们,也不伤害你们,并且赦免你们的罪。洛邑是一座大城,以后会作为周的王都,你们生活在这里,如果顺从周治,就会给你们土地,让你们安居乐业。最后还讲了一句祝福的话,"尔小子乃兴,从尔迁。"你们的后辈将会兴旺发达,从你们迁居此地之日开始。

在我们中国,一个朝代刚建立,对待前朝旧臣有逆心逆行的,多数是赶尽杀绝的。从这一点上讲,周公确实有大政治家的胸襟与远见。在唐玄宗李隆基之前,中国各地的"文庙"是主祭周公的,孔子在侧侍座,以此彰显儒家的筋脉传承。自李隆基之后,改为主祭孔子,后来一些地方索性把文庙直呼为孔庙,也不知道周公触动了李隆基哪条神经的末梢。但李隆基祭孔子的诗写得很见功夫:"夫子何为者,栖栖一代中。地犹鄹氏邑,宅即鲁王宫。叹凤嗟身否,伤麟怨道穷。今看两楹奠,当与梦时同"。

职官

古代的职官，基本上一个萝卜一个坑。

没有坑的萝卜，叫散官，相当于今天的巡视员和调研员。个别皇帝，因为特别重视某个坑，也有不安插萝卜的特例。但更多的皇帝，喜欢给自己偏爱的萝卜额外挖个坑。

"我周公，作周礼，著六官，存治体"，《三字经》里说的《礼记》六官是"天官（大冢宰）、地官（大司徒）、春官（大宗伯）、夏官（大司马）、秋官（大司寇）、冬官（大司空）"。职能与职位对应着后朝的六部：吏部（天官，掌官吏任免，铨叙，考绩，升降）、户部（地官，掌土地，户政，赋税，财政）、礼部（春官，掌典礼，科举，学校）、兵部（夏官，掌军政）、刑部（秋官，掌刑法，狱讼）、工部（冬官，掌工程，营造，屯田，水利）。

战国时候，诸侯国君下设相将，分掌文武二柄。秦朝在丞相府、太尉府之外，设御史大夫寺，御史大夫是皇帝的秘书长，兼管监察，旨在分散相权。到秦二世时期，这一招失灵了，相权控制了皇权，这是秦朝早夭的原因之一。后朝汲取惨重的教训，把削弱相权作头等国事对待。曹丕（魏文帝）把尚书改为外围的执行机构，设置中书监，参掌中枢机密，类似今天的书记处。南北朝皇帝担心中书省做大做强，以近侍为班底，设置门下省，形成尚书、中书、门下三省分职的制度，中书取旨，门下审核，尚书执行，三省长官同为宰相，共事国政。

中国旧的官吏史，一多半是皇帝与宰相的钩心斗角史。李世民制约相权的办法比较灵活，也有创意。他自己任过尚书令，且是在这个职位上取得天下的，因而他的任上这个职位长期空缺。在中书令和侍中之外，随机设立机动职务。他是"秘书政治"和"顾问政治"的发明人。具体做法是，给能力强但职位低的官员加授"参议朝政""参议得失""参议政事"之类的头衔，掌握宰相实职。今天的政府机构，也有"参事"这样的职位，但仅仅是政治待遇，是虚位。在唐朝，参事是真的参加国策的制定与执行的。相当于美国总统"国家安全顾问""亚洲政策顾问"，纵然不是一言九鼎，四五鼎还是有的。

台官和谏官也在中国旧政治的核心区。台官是监察官，对百官进行纠弹。首长叫御史大夫，或御史中丞，明清的监察机构叫都察院。御史台又称宪台，肃政台。谏官对皇帝进行规谏，西汉称谏大夫，东汉称谏议大夫。到宋代之后，台谏合流，枪口一致朝向百官，对皇帝的制约就不复存在了。

宋代是中国旧政治的一个分水岭，在此之前，弱势的皇权是可动摇的，比如赵高之于秦二世，王莽之于汉平帝，李世民之于李渊。宋代之后，皇权遮天蔽日，再低能的皇上也是高枕无忧的。

《礼记》里有一句话："礼不下庶人，刑不上大夫。"在现代的解释里有误区，被曲意为蔑视百姓，官吏享受特权。《礼记》的原义是，对贫民百姓不要强调礼的形式，穷苦人家没有那么多讲究。对违法的官员不要强调刑罚的形式，该撤就撤，该杀就杀。但批倒则已，不宜批臭。身可败，名不必裂。昭示违法官员的斑斑劣迹，会伤及国民对国体的信任。

什么样的人才可以进政府任职，一国的政权该交付与哪些人，是国家的第一要义。以前的好朝代在这件大事上都是做得好的，这是盛世的基础。以前选人才的旧办法，是察举制、清议制和科举制。今天是选举制，也有公务员考试制度。制度是一回事，但把制度实施好是另一回事。以前的好朝代里，旧官吏的任职，资格与资历的界定是比较清楚明确的,什么样的人做县太爷,什么样的人任职州府,基本透明,守着一个大准则。今天社会昌达,公务员水平都高,不讲究这个,也不太在乎这个。旧官吏俗名叫父母官,今天谦称人民公仆,从这一点上去看,区别真是够大的。

反粒子

先说个《列子》里的老故事，或许叫寓言更恰当些。其实，寓言就是下潜了深度的故事。

背景是战国初年，故事的因起是一位陕西人，依当年的身份叫秦人。秦人姓逄，逄家有个儿子小时候是神童，早慧。但长大以后却患了"迷罔之疾"，"闻歌以为哭，视白以为黑，飨香以为朽，尝甘以为苦，行非以为是。意之所之，天地四方水火寒暑，无不倒错者焉。"小逄得的是颠倒黑白、混淆是非病，是思想病。老逄很着急，打听到鲁国有一位大名鼎鼎的"君子"，是专治这种病的行家（故事里没有明说，估计指孔子），就带着小逄出国看病。途经陈国时偶遇老子，有病乱投医，先请老子给瞧瞧。老逄这个人身份不低，至少是重量级公务员，可以随时随地约见大腕级文化人。

老子了解了小逄的情况后，对老逄说了一通别开生面的话，对今天极富启示。老子开门见山讲了两层意思。第一层是诘问老逢,你凭什么判断这种情况是病呢?如今天下普遍"惑于是非,昏于利害,同疾者多,固莫有觉者"。这句话很厉害,如果是病,也是社会流行病,是通病。如果不是人病,那一定是社会病了。如同今天评判社会百态的那句话:价值观混乱,导致社会认识底线和道德底线下行。

老子讲的第二层意思是:一个人价值观迷惘了,对一个家庭不算什么。一个家庭迷惘了,对一个村子不算什么。一个村子迷惘了,对一个国家不算什么。一个国家迷惘了,对整个世界不算什么。整个世界迷惘了,那也是一种社会大同。如果天下人都和小逢一样,你老逢就成了迷惘症患者。老子的结束语是,我这种认识"未必非迷",但我知道,鲁国那位"君子",是迷惘的集大成者,根本帮不了你儿子,趁着还没走多远,给盘缠留点面子,节省下来打道回府吧,"荣汝之粮,不若遄归也"。

《列子》里的这个故事没有下文,也没有交代老逢去没去鲁国。好寓言的价值,就在于激活认识领域的多种可能。

反粒子是现代物理学里的一个概念,我对此一窍不通,从课本里抄来一句释词:"在原子核以下层次的物质的单独形态,以及轻子和光子,统称为粒子。所有的粒子,都有与其质量、寿命、自旋、同位旋相同,但电荷、重子数、轻子数、奇异数等量子数异号的粒子存在,称为该种粒子的反粒子。除了某些中性玻色子外,粒子和反粒子是两种不同的粒子。"一位学物理的学生告诉我:粒子和反粒子是上世纪三十年代人类对物质的认识成果。九十年代之后有了延续,又捕获了反物质。粒子和反粒子都是正常的物质存在,却是两种存在方向。粒子和反粒子相遇的话,就可怕了,二者湮灭,爆发出核反应,释放出极端能量。

我对反粒子肤浅的理解是,有一个正数,就有一个相对应的负数,中间至少隔着一个零。正数和负数不是一分为二那个层面,更不是正数是正确的,负数是倒行逆施,有时恰恰相反。负数的可贵之处,在于难于被发现,难于捕捉到。人们整天为正数奔忙,疏忽了相对应的那个客观存在,就埋下"昏于利害"的种子。

道理

　　道是讲理的，也是有自己的规律的。

　　道这个字，头在上，腿脚在下，思想与践行融为一体。空想，瞎琢磨，或本本主义，唱高调都不是道，低头拉车不看路，也不是道。每一条路都是有方向的，要用脑子去辨识。"摸着石头过河"不是硬道理，是特殊情况下的无奈举措，是心里没数时才使用的务实办法。我们中国人爱用走路比喻人生一世。"行路难"，是人活着不容易。"破万卷书，行万里路"，仅仅多念书不够，要经历世事，多加历练。还有坊间那句自吹自擂的话："我过的桥比你走的路多。"桥是路的断裂地带，是事故多发区，是人生的麻烦处和要紧处，智慧者是在经过这种路况时才显出过人之处的。以前对皇帝有"明君"和"昏君"的判断，明君不是事事明了，而是对涉及国家命脉的大事摸得准，把得牢，拎得清。历史上有多位昏君，平常日子都明白着呢，只是每逢大事才糊涂。

人生卑微，不如草芥，草芥有根呢，枯了可再荣，年复一年葱茏度日。人没有根，死了就死了。如果不想一了百了，就多做些事情。人做事情就是给自己扎根，做大事，是扎深一点的根，根深，枝叶自然繁茂。青史驻名的那些大人物，就是把自己置根于世道人心里边了。

道貌岸然，是表面现象。道法自然，大道无形，指道的复杂和无量。但道不是虚无缥缈的，道是人间道，道的地基是常识，是寻常生活里过滤出来的认识和见识。

孔子多次在水边给学生上公开课，见到现实的场景，小题大做，展开他沧桑的心路。典型的有两次，一次是在波涛汹涌的河段见到一位"操之若神"的船夫，一次是见到激流漩涡里淋漓畅快的泳者。孔子用"轻水"和"忘水"点评船夫，"轻水"是了解水，掌握了水的性格才可以做船夫。"忘水"是和水打成一片，像鱼那样融于水。一条船翻了，落水的人可能惊慌失措，但船舱里的鱼有得水之乐呢。孔子向技艺高绝的泳者提出问题，引导泳者沿着问题思路回答。泳者说：我是在水边长大的，在山靠山，在水吃水，慢慢的，水就是我的命了。孔子得出的结论是，成就事业者，都是找到自己本命的人。

世道里有人心。孔子的自我评价是："吾少也贱，故多能鄙事。"这不是故意低姿态，是老僧的家常话呢。

匠

匠，是个会意字，本意单指木匠。

"匚"，是右边开口的箱子，可以背在背上。"斤"，斧子，泛指木匠工具。庄子有"匠石运斤"的典故，是说一个名字叫石的木匠，别人的鼻尖上蹭了一点白，不知是什么东西，很顽固，相当于今天的白乳胶吧，请他帮忙。"匠石运斤成风，听而斫之，尽垩而鼻不伤。"这个小故事，讲述了一次高超的绝技表演。匠这个字后来发达了，代指手艺，铁匠、石匠、画匠、剃头匠、泥瓦匠、装裱匠。匠是技术扎实，"匠心"那个词指娴熟之后的巧，巧也是创意，是得心应手。庄子很重视基本功过硬的人，匠石运斤是一例，庖丁解牛是另一例。

今天的风气，不太强调基本功，因此博士众多，技术工人奇少。不仅大学里有博士，政府和生意场里也比比皆是。上周末去参加一对博士的婚礼，硬让我说话，我就祝愿早日生个博士后出来，同桌的人一齐嚷着要罚酒，因为这几位都是博士后。"走出中国，走向世界"这句话，也该掂量掂量，像不安心过日子的人说话的口气。还是那两句老话持久，实实在在，也中规中矩，一句是"打铁还需自身硬"，一句是"酒香不怕巷子深"。

仇英是明代开新风气的画家，是了不起的大人物。他对色彩的运用，到今天也少有人能比肩。仇英出身油漆匠，也是画匠，画匠在旧社会里是用途很广的"手工业"，大户人家的亭台楼阁要雕梁画栋，平头百姓过日子用的许多东西也离不开，装粮的柜子，放衣物的箱子，姑娘出嫁的梳头匣子，还有亡人的棺材等等。画亭台楼阁是又累又脏的活，整天蹬着梯子缩在屋檐下，其中有一个工作细节很具体，也很辛苦。颜料盒子是拎在手里的，但滋润笔尖要依靠嘴唇，因为是彩绘，收工后从椅子上下来，嘴唇都是五彩斑斓。坊间形容"四大脏"，话头很粗，"秃子头，连疮腿，娘们×，画匠嘴"。仇英就是干这个活的，他的画里的色彩，鲜活得能洋溢出味道，和他的职业密不可分。

仇英有著名的仿画《清明上河图》，是得宋人张择端的启发之作。两幅《清明上河图》区别很大。首先是背景不同，一是开封，是北方的市井百态。一是苏州，为水乡的民风世相。仇英的画中人有2000多位，张择端为580多位，但有"动物13种，植物9种，车轿20乘，大小船二十艘"。张择端的作品浑然厚实，仇英的作品丰富多姿，结构严密。仇英还是界画的代表人物，结构上的巧夺天工是他的基本功。两幅画有一处相同，都被皇帝贪爱。张择端的画原为无题之作，宋徽宗亲笔题"清明上河图"。仇英的画被末代清帝溥仪私藏，1945年外逃时，被扔在了沈阳机场。

模仿的作品创出新意依靠的是基本功。如今文学作品里的模仿之作有很多，同一题材的东西被写来写去，但创出新意的却极少见。

敬与耻

在貌为恭,在心为敬,这是一句老话。敬,指内心的端庄正直。西安土话里有"端坐""端走""端下"等词汇,这个端的含意就是正直。孟子讲的"四端",是作为人的基本。"恻隐之心,仁之端也。羞恶之心,义之端也。辞让之心,礼之端也。是非之心,智之端也。"

敬有两方面的指向,敬人和敬己。敬己是敬德,是自尊,自重,自爱,是克敬守敬。敬礼不是举举手,摆个姿势,装装样子,而是循规守矩的总称。敬人,敬业,敬行当,敬天地万物。清朝康熙年间设置了一个中央办公部门的办事机构——敬事房,属内务府。职责范围有:"奉行谕旨及内务府文书,管理宫内事务及礼节,收核外库钱粮,甄别调补宦官,并巡查各门启闭、火烛关防。"皇帝和后宫的居行,吃喝拉撒,以及正经和不太正经的娱乐,都包括了。当好这个琐碎的差使,皇帝只要求一个字,就是敬。"事上以敬,事下以宽",是《清史稿》对大太监刘有三做的政治结论。

老话里关于敬,还有很多说道,"入门主敬,升堂主慎""宾客主恭,祭祀主敬""敬事而信""居敬而行简"。敬是一个人的态度,要有态有度,态是行为状态,度是分寸感。无论对人还是对己,不及和过分都是失敬。

耻,一边是心,一边是耳。一个人心底偶尔冒出一个不妥的念头,或听到一句想洗耳朵的话,会有点不好意思,这点不好意思,就叫耻。无耻,就是没有这点不好意思。用南怀瑾先生的话说:"真正爱面子这一点心思,培养起来,就是最高的道德。"

孔孟二老对耻的知见很清澈,"行己有耻""知耻近乎勇""耻之于人大矣""人不可以无耻,无耻之耻,无耻矣"。

明末清初的大学问家顾炎武有一篇好文章,叫《廉耻》,其中有两句了不起的判断:一句是"盖不廉则无所不取,不耻则无所不为";另一句是"士大夫之无耻,是谓国耻"。

士大夫是对官僚的旧称谓,泛指国家机器的所有零件。用今天的话讲,叫各级公务员。有外族入侵的日子,是国耻。没有外族入侵,自己入侵国家纲纪的底线,也是国耻。

苜蓿 蒲桃锦 身毒国

《西京杂记》是记载汉长安城风物时事的书,是晋人葛洪写的,也可以说是编撰辑录的。葛洪是道家,是名医,还是炼丹大师傅,当年的学者热衷这类事。

今天国人以欧美的东西为奢侈品,汉朝时候流行西域货物。西安开一个关于丝绸之路的重要会议,我从《西京杂记》里找出"苜蓿、蒲桃锦、身毒国"的记载作为谈资,那天会上一高兴闲扯了别的,这三个小细节忘了说了,补记在这里吧:

"乐游苑自生玫瑰树,树下多苜蓿。苜蓿一名怀风,时人或谓之光风,风在其间,常萧萧然,日照其花,有光采,故名苜蓿为怀风。茂陵人谓之连枝草。"(《西京杂记》)

苜蓿是张骞出使西域时从大宛国带回来的,是当年的稀罕植物。"怀风、光风、连枝草"，这些称谓多么可怜生动。茂陵是汉武帝百年之后的藏身之处，在长安北边。乐游苑在长安南面，是汉宣帝建设的皇家园林，宣帝山崩后，亦葬身其中，号杜陵。

"霍光妻遗淳于衍蒲桃锦二十四匹，散花绫二十五匹。"（《西京杂记》）

蒲桃即葡萄，也是从西域引进的。《史记》里司马迁写为"蒲陶"。霍光是霍去病的弟弟，汉朝辅国重臣。淳于衍是许皇后的女医官。辅国重臣妻子为什么送昂贵的葡萄纹饰的锦绣给女医官，这其中隐着一幕惊天血案。许皇后是汉宣帝正宫，霍光妻子意图让小女儿成君取而代之，贿赂淳于衍，在锦绫珠宝之外，还有"钱百万，黄金百两，为起第宅，奴婢不可胜数"。许皇后中毒身亡，霍光小女儿如愿入宫，但成于斯也败于斯，事端败露后，霍氏满门被诛灭个干干净净。

"宣帝被收系郡邸狱，臂上犹带史良娣合采婉转丝绳，系身毒国宝镜一枚，大如八铢钱。"（《西京杂记》）

身毒国是古印度的音译名，又称天竺。《史记》里的记载是，"其人民乘象以战，其国临大水焉""今身毒国又居大夏东南数千里，有蜀物"。八铢钱，秦货币名，汉袭秦制。铢，计量单位，一斤十六两，一两二十四铢。

丝绸之路是强大国家的贸易路、外交路，也是民生路。政府贸易带动民间贸易，国家往来激发民间往来。丝绸之路的起点是政治，但落脚点在民生层面上。如今有些事，起点是政治，落脚点还是政治。这样的事，老百姓是不和政府玩的。

丝绸之路是与人为善的和平路。这条路上往来的是丝绸、瓷器、茶叶、葡萄、苜蓿，没有飞机大炮。今天有"和平崛起"这个口号，完全没有必要这么说，"人不犯我，我不犯人"是中国祖传的生存哲学。今天强大的美国给世界主要卖什么？除了飞机导弹之外也卖民主，但你要是不买我这个民主，我就颠覆掉你这个政府，伊拉克就是个具体例子。嘴上喊着民主，用的手段却是违背民主的。

中国和美国，最初是意识形态之争，美国要在全球消灭共产主义。如今是货币之争，贸易之争，但根本上还是意识形态之争，只是眼前的热闹遮蔽了这个根本。强大的文化是强大国家之本，一个国家的意识形态占不了上风，不太可能实现大国梦。日本可以当个参照物，经济上再了不起，也得跟在别的国家屁股后边跑。

"儒"这个字

"儒"这个字的结构,一边是人,一边是需,内涵有两层意思,一是自己需要,再是被旁人需要。

一个人念书多了,有了学问,通了学理,去满足自己的需要,并有所斩获,叫自得。中举人,进进士,拿状元,之后获赐一个好差使,都是自得。满腹经纶是说一个人有一肚子聪明才智。但如果受益人始终是自己,自得发展成了自私,局限就暴露出来了。即使是朋友之间往来,自私的人也是不受欢迎的。一个人发明了专利,自己领了专利费和荣誉证书,再有无数的人从专利技术中受益。儒这个字的内涵就圆满了。

仅有书本知识不是儒,叫书呆子,或书虫。这两个词都形象有趣,知识是让人豁达和通达的,读傻了,成了呆子,是读拧了,读反了。书虫更生动逼真,在寺庙的藏经阁里,这种小动物很多,天天啃书,而且是经典秘籍,身体就是长不大,一个个满腹经纶，但那个腹实在有限。老百姓过日子有一句俗话，叫半大小子见风长，一个孩子吃母乳，喝牛奶，补多种营养品，父母的呵护到头了，到自己长个子的时候了。一个人长大成人，要沐风栉雨，不仅是生理的，还是心理的，更多的是社会磨砺而成的。一棵参天大树，不知经历过多少风雨，每生长一年，向上增高一点，树心也多出一个年轮。

还有两个词，大儒和宿儒。大儒不是个子大，是影响广大，不仅被一个时代需要，而且要跨时代。《论语》是一本挺薄的书，但"半部论语治天下"，不停地被后世翻新沿用，汉代董仲舒翻新过一次，宋代朱熹翻新过一次，如今又被翻新着。中国在世界一百多所大学里建立了孔子学院，实在是了不起的大手笔。孔子是大儒，是天下读书人的老师，被累世尊奉着。

宿儒也叫老学究，性格深沉，固执己见，"独善其身"的成分也偏多。纪晓岚写过两个老学究：一个信鬼的存在，一个不信，两个人争执了一辈子。信鬼的一个先死了，但坐在地府大门口死等，另一个终于来了，他拦着不让进门，严肃地提出一个问题："请说出你现在叫什么名字。"

在孔子的观念里，儒是综合能力。既有书本知识，更要有责任担当，且能做成功事情。鲁国的季康子找孔子要人才，提名是子路、子贡、冉求。这三位都是孔子的得意门生，三个人都各有所长，但社会实践和综合能力不足。《论语》中的这段原文是：

季康子问：仲由(子路)可使从政也与？
子曰：由也果，于从政乎何有？
曰：赐(子贡)也可使从政也与？
曰：赐也达，于从政乎何有？
曰：求(冉求)也可使从政也与？
曰：求也艺，于从政乎何有？

这段精辟文字由六个问句构成，有智慧，有文法，这也是《论语》这部大书的文辞魅力的一种。

腐儒不是孔子的初衷，是臭豆腐，味道独出，也有叫人偏爱的一面，却上不了大席面。

谁敢窥天机

纪晓岚写过三个酒鬼。

张子仪，嗜饮。五十多岁那年，他因感冒死了，但装殓的时候，人突然又苏醒了，对惊魂未定的家人说："我的病好了。刚才到了地府，见走廊上有三个大酒瓮，瓮上均有'张子仪封'题字。只有一个启封了，但其中还有一半酒。我估计三瓮酒喝完了，我的路才会走到头。"接下来"复纵饮二十余年"。二十多年后的一天，他又对家人说："这回差不多了，昨晚梦里到地府，见那三个瓮都空啦。"没过多少天，张子仪无疾而终。

叶守甫是德州的老中医，有一天，他和家人赶夜路遇雨，见路边有一座废寺。寺门虚掩，门上隐约有八个字，"此寺多鬼，行人勿往"。老中医心里明白，庙和堂这类大房子，神不住，鬼就去占据。但风雨急迫，前后也没村没店，只好硬着头皮往里走，但进门先拜，高声说："过客遇雨，求神庇荫，雨止即行，不敢久稽。"天花板上传出一深沉平静的声音："感君有礼，但今日大醉，不能见客，请谅解。"又说，"客人请东壁坐，西壁有蝎子。不要喝檐流水，有蛇毒。殿后边酸梨熟了，可摘些吃止饥渴。"老中医一行"毛发竖立，噤不敢语。雨稍止，即惶遽拜谢出，如脱虎口焉"。

第三位是一只狐。朱静园是明经举子，有一狐友，一天，二者在朱家饮酒，狐大醉，睡眠花下。酒醒后朱静园问狐："我听说，贵族醉后多变原形，就用一件衣服盖你身上，一直守在你身边，你怎么一点变化也没有？"狐说："这要看道力的深浅而定，道力浅，醉了变，睡熟了变，遇仓皇惊怖事也变。道力深者能脱形，已归人道，何变之有？"朱静园提出拜师学道，狐拒绝了，并且说了一段很有水平的话："凡修道，人易而物难，人气纯，物气驳。成道物易而人难，物心一，人心杂。炼形者先炼气，炼气者先炼心，心定则气聚而形固，心摇则气涣而形萎。"自这番话后，朱静园悟道了。坊间狐朋狗友这个词，多指交朋行邪，为党不端。朱静园有福气，交了一个诤友。

纪晓岚写酒鬼，在我读来，即是窥天机的一种。酒字的读音，同九和久，九在最高处，久在最远处。到达这两个地方，既不在一朝一夕，也不是一般人力所及，而需要点天赋。天赋是老天爷发的奖品。芸芸众生，都是老天爷的属下，老人家为什么单发给你？这就是世事的奇妙之解了。窥天机不是偷偷看，更不是趁机使巧，但究竟怎么窥，我说不清楚，也道不明白。王国维说得好，他说人生三境界里最难的那一重，是"众里寻他千百度，蓦然回首，那人却在灯火阑珊处"。

局限

　　有一个老话题,是宋朝人已经讨论过的,针对儒家的那句话:"老吾老以及人之老。"说释迦牟尼和孔子有一天在河边探讨学问,两位的妈妈懒得听他们高深的理论,手拉着手去散步,走着走着,突然失足落水。佛祖静静地看着孔子如何行为。孔子讲礼数,不肯光着身子,和衣跳下水,先把自己的妈妈救上岸,再去救另一位老太太。这个话题该是有佛心的人设立的,钻了儒门的空子。

　　据说中国民间有神通人,可以穿越时空,洞解人上辈子和下辈子事。有人问他:"我上辈子是哪里人?"回答说:"成都、西安,或呼伦贝尔大草原一带。"有美国人慕名学艺,学成后衣锦还乡,有人去请教:"我下辈子脱胎去哪里?"回答说:"底特律,俄亥俄,或科罗拉多大峡谷。"学术是没有国界的,这是有些做学问的人爱讲的一句话。术确实没有国界,手段可以通用,可以合营商业,可以联合军演。但比术再大些的，不仅有国界，甚至还有苛刻的地界。

山西万荣县有个故事，一个男子赶集回来对妻子说："我在半路上见到一个米袋子，捡起来一看，可惜开口在下边，底在上边。弄反了，拿回家也没用，就扔了。"妻子数落他："傻子，你把它拿回来，我把下边的口缝上，上边再剪开口，不就可以用了。你个死心眼。"我觉着这不是笑话，是寓言。生活里学会换位思考是要紧的，学会怎样换位思考更要紧。

局限，是生活中的常态，普遍存在着。人的生死是局限，黑夜和白天是局限。左右手是局限，男女厕所是局限。春夏秋冬是局限，上下级是局限。一项体育竞赛，因为局限的存在，才会精彩。一件事情的发展过程之中，局限也是无处不在。息这个字的本意，是一呼一吸之间的停顿地带。气息，指的是呼吸再加上停顿的全过程。身体健康的人，既呼吸顺畅，停顿的也恰到好处。在大街上，见一个人气息短促，如果不是遇到紧急情况，他的身体一定出现麻烦了。

做事情接连不顺利的人，俗话叫一步赶不上，步步赶不上，总是踩不到点上。那个点，就是局限的穴脉处。

自然者默之成之

无为，不是什么也不干，天天闲待着，像办公室里的那类小官僚，一杯茶，一叠报纸，一天就从容着过去了。无为是不乱为，是哑巴吃饺子，心里头数着呢。好皇帝和差劲的皇帝都挺忙，可能差劲些的更忙，视察那个，接见这个，但好皇帝是忙在点子上。其实每位皇帝的一任一朝，都干了些什么，干得怎么样，史书上文件上可以粉饰打扮，可以打马虎眼，但眼亮的老百姓心里是明了的。庙里的大和尚也是这样。方丈不一定就是大和尚，并不是当了领导，什么东西都跟着上去了。有些文学书里，大书特书某某方丈闭关修行十年二十年，去练自己的独门功夫，这也不妥。庙墙塌了，小和尚找尼姑去了，都不知道。大和尚是不疏忽自己的庙的。

无为两个字里边，有一点很吃紧，就是要明白不可为。明白不可为，是树立自己的敬畏心。有些不妥当的事情当时做了，可能是无奈，或迫于形势不得不为，但会别扭一辈子的。

曾国藩的恩师是穆彰阿。穆彰阿是皇帝的奴才，也有洋奴之垢，但有一点了不起，就是发现了曾国藩。曾国藩是经天纬地的大人物，但出身普通，小时候天资也不过人，基本上笨小孩一个。23岁中秀才，接下来两次会试不第，28岁举贡生，穆彰阿是那一年的主考，他欣赏曾国藩的应试作文，向道光皇帝举荐，由殿试三甲42名被道光爷简拔列为朝考一等第二名，赐同进士，授翰林院庶吉士。那件成为曾国藩心病的事就是第一次"披皇恩"时发生的。道光听了穆彰阿的举荐后，传旨召见他，曾国藩在一间房子里跪候了大半晚上，但等来的是取消召见。曾国藩心里没谱，跑去请教穆彰阿。穆彰阿问他房子里都有什么，他说房子空落落的只有龙椅后边挂着字，但没敢过去看。穆彰阿私下使银子找到当值的太监，得知是《大清祖训》。道光再接见的时候，曾国藩已把《大清祖训》背得滚瓜烂熟。

洪承畴是晚明重臣，后顺清，是著名的"贰臣"。洪承畴生在福建泉州，在陕西工作多年，曾任陕西督道参议，延绥巡抚，三边总督，主要工作是"剿匪"，生俘高迎祥，几败李自成，东北吃紧后，调任蓟辽总督。1642年松山兵败后降清，助清军一路南征，功勋卓著。1659年67岁时因"眼病"卸任回京。1665年去世，谥文襄，立御碑，赐葬京师。

洪承畴晚年不敢见家乡人，也不敢见老朋友。当时有一首诗是专讽他"贰臣"的，"松山战骨未全枯，再建功名佩虎符。终是风沙容易老，白头南渡又南都。"《大清见闻录》里有一段记事：洪承畴年幼时有一个恩师，叫沈廷扬。"见其穷困，延之至家，……即课承畴，故承畴感德，尝呼沈为伯父。"洪承畴南征时，沈廷扬"散尽家财"，图反清复明。被清兵俘获后，洪承畴去见。"百五（沈廷扬）故作不识认曰：吾眼已瞎，汝为谁？洪曰：小侄承畴也，伯父岂忘之耶？百五大呼曰：洪公受国厚恩，殉节久矣！尔何人斯，欲陷我不义乎？乃揪洪衣襟，大批其颊。"

无为，是顺其自然。天道自会，天道自远。自然者默之成之。做不自然的事情，一定要考虑到后果。考虑别人是一个层面，考虑自己会怎么面对这件事是另一个层面。

代价与成本

一个国家的进步，是有代价和成本的。

为了不改变，最好的办法是不交往，把社会封闭起来。清朝覆灭之前，我们一直都是这么干的，外国的使团，基本上都被视为为效忠而来。交往是彼此看重，但交往的核心价值，是建立自我更新系统，使自身不断强化。清朝因封闭而终结，但接下来开始的"交往"，实在让中国人脸面无光。二十世纪，是大中华漫漫历史中唯一一个失去自信力的一百年，洋车、洋火、洋蜡、洋油，东洋与西洋的东西，几乎渗入所有角落。乃至今天，从开发商新建楼盘的洋名字，到大学课堂上的洋学说，风势正足。国家交往的危险，在于让本民族的遗传信息丢失了，像基因变异的植物，为改良而变种。确实，"洋为中用"带来了巨大变化，有经济的繁荣，也有政治的逐步澄明，正因为这种巨变，强化中国传统元素才显得更为迫切。一个国家的大学，特别是人文学科领域，自身元素不占上风，是让后辈人不幸的大事。

　　1792年9月26日，三艘大船组成的700人的英国使团，从朴茨茅斯港出发，目的地是中国，团长叫马戛尔尼勋爵。1793年9月14日，在承德避暑山庄，乾隆皇帝在"纸灯笼照耀着天子帷幄"里，接见了使团的代表。其中给马戛尔尼提斗篷下摆的是一位十二岁的男孩，叫托马斯·斯当东，就是这个小男孩，长大以后直接导致了两个国家的战争。他天资聪颖，在船上和担任翻译的教士学习汉语，乾隆因为他的"流利汉语"龙颜大悦，"解下挂在腰间的黄色丝织荷包，破例将它赐给孩子"。随庞大使团一起来到中国的，还有新发明的蒸汽机、棉纺机、织布机和热气球。乾隆爷的回答是天朝什么都不缺。他给英王的回赠是一件玉雕权杖，给马戛尔尼的是玉石节杖。

　　24年之后，1816年8月28日，英国第二个使团抵达北京，由阿美士德勋爵领衔，副职是已经36岁的托马斯·斯当东，此时他已在广州生活了多年，是英国东印度公司驻广州的商务代表。但嘉庆皇帝没有接见他们，并且下令驱逐了使团。官方记录是，"中国为天下共主，岂有如此侮慢倨傲，甘心忍受之理。是以降旨逐其使团回国，不治重罪"。据坊间说法，原因有两个，一是特使不接受三拜九叩的觐见礼仪，二是斯当东的身份是商人，皇帝不能屈尊见商人。

　　又过了24年。1840年4月7日，近60岁的托马斯·斯当东在英国下议院"慷慨陈词"："我们进行鸦片贸易，是否违反了国际法呢？没有。……北京朝廷有权强化司法措施以制止鸦片贸易。但迄今为止对外国人最重的处罚是禁止经商或驱逐出境。现在它能粗暴地判处他们死刑吗？……如果我们在中国不受人尊敬，那么在印度我们也会很快不受人尊敬，并且逐渐地在全世界都会如此！尽管令人遗憾，但我还是认为这场战争是正义的。而且也是必要的。"170年前，英国人就是这么理解正义战争的。

　　1840年6月，一支由40艘战舰，4000名士兵组成的舰队，经过孟加拉抵达广州海面。中国人没有颜面的近代史生活，就此被强行拉开了序幕。

认了

认了,是乡俚,是土话。

一个人把另一个人摁着,兜头一拳,问:"认不认!"手下的人头抵着地,一嘴泥,但脖子梗梗的。再一拳,"快说,认还是不认!"脖子扔不停地往上拧劲,再三五道硬捶后,脖子一蹋,不反抗了。认了是服软,是认栽了。也有另一种情况,是忍了,退一步海阔天空,期待以后的峰回路转,柳暗花明。

还有一个词,叫笨如牛。牛怎么笨?倔强,踏实,吃苦耐劳,少言寡语,这不是笨。对牛弹琴,不是牛笨,是人矫情。牛笨在让人牵着鼻子走,那么一个大块头,鼻孔穿一根绳,小孩子拽上就走了,间或还放松的骑到牛背上,吹吹笛子什么的。牛的悲哀,是不被牵着就不知道朝哪个方向走。老马识途,牛却不行。

萨达姆和卡扎菲是两位倔强人。萨达姆直到被绞死,也不服软,而且昂着头,一脸平静。卡扎菲也不服软，但有一点小区别，萨达姆对西方人不抱幻想。卡扎菲1969年推翻美英支持的伊德里斯王朝，建立利比亚共和国，废止了美国在其领土的威勒斯军事基地，赶跑了英国石油公司，但在事实上保存了美国的石油公司，办公大楼都被政府保护着，2003年12月，利比亚宣布放弃"大规模杀伤性武器计划"，2004年1月，利比亚的核设备和研究设施被运到美国"展出"。3月23日，美国助理国务卿伯恩斯访问利比亚，会晤卡扎菲时，"转交了布什总统的一封信"。3月25日，英国首相布莱尔访问利比亚。2006年，美国宣布与利比亚恢复全面外交关系，并将利比亚从"支持恐怖主义国家"名单上删除。2007年12月，卡扎菲受法国新任总统萨科齐邀请，访问法国五天，签署多项合同和协议，"总价值超过100亿欧元，包括采购21架空客飞机"。萨科齐当时公开表态："卡扎菲没有被视为阿拉伯世界的独裁者，他是这个地区执政时间最长的国家元首，在阿拉伯世界，这很重要。"2009年，卡扎菲到访纽约，出席联合国大会。2011年3月19日，法美英从海上空中对利比亚发动袭击。三天时间，数百枚导弹"莅临"利比亚国土。卡扎菲最初得知法国战斗机率先轰炸时，说了一句失水准的话："萨科齐是我的朋友，我想他是疯了。"

  我有一个熟人，是英国人，在西安一所大学教书，他对陕西历史博物馆非常着迷，自己去看了十几次，每次见面，他都津津有味地说其中的细节。有一次我们闲聊，我说："有一个最重要的细节你一直没注意到，"他认真地等着我说，"博物馆，是一个国家浓缩的文明史。每一件文物的出处和经历，都是国家记忆。我们博物馆里的东西，都是我们自己的，外国的没有，你们国家的博物馆做不到这一点。"他很不好意思地点头承认。又一次闲聊时，我和他说了一个笑谈：G8，是八国集团，俗称富国俱乐部。成员有美，英，法，德，意大利，加拿大，日本和俄罗斯。去掉加拿大，加上奥匈帝国，就是当年抢北京城，烧颐和园的八国联军。

  国家文明是复合结构，有点像天平，强权和公理是天平的两端。无论哪一端薄弱了，整体上都会失衡。

《汉书》告诫我们的

算缗和告缗

缗，是旧时串铜钱的绳子，由此成了量词，一缗，为一千文。算缗是汉武帝颁行的营业税种，课征对象是工商业者及手工行当，旧称"贾人末作"。末作即末业，农为本，商贾为末。

算缗的征收方式是经营者自行申报财产，"各以其物自占"，依财产纳税。"率缗钱二千而算一"，一算是120文，2000文缴120文，税率为6%，小业主减半，"率缗钱四千算一"。算缗里还有车船税，"轺车"缴纳一算，轺车是以前的豪华私家车，是奢侈品。轺即遥，"四向远望之车也。""吏比者、三老、北边骑士"的轺车是公务车，不在征收之列。"商贾人轺车二算，船五丈以上一算。"如果隐匿不报，或不据实申报，惩罚是严厉的，"匿不自占，占不悉，戍边一岁，没入缗钱。""算缗令"是公元前119年颁行的，为确保政令畅通，作为配套措施，公元前118年和公元前114年，两度发布"告缗令",鼓励百姓检举揭发,"有能告者,以其半畀之",检举人可获得罚没金一半的奖励。

算缗是中国大历史里农业税之外的首项财产税,为开拓之属。功益处在于不加重农民负担,"富国非一道""富国何必用本农""无末业则本业何出"。西汉初年的农业税是1/10,比较高,文帝免了十二年税,后降为1/15,景帝再大幅降为1/30。汉武帝是有作为的皇帝,有作为,就是多做大事情。汉武帝北征匈奴,南威夷越,又好大喜功,在赏赐上也是大手笔,"北至朔方,东封泰山,巡海上,旁北边以归。所过赏赐,用帛百余万匹,钱、金以巨万计"。举一个汉武帝的实例,汉使赴身毒国(即印度)出访,中途在昆明国受阻,未遂而返。汉武帝"乃大修昆明池",在西安西南郊凿湖四十里,"作昆明池象之,以习水战"。造大小战船几百艘,"治楼船,高十余丈,旗帜加其上,甚壮"。汉武帝有点像今天的美国总统,外交上稍受挫折,即展现武力雄风。大作为是以国库坚实为前提的,汉武帝没有增加农业税,而是把手伸进了商人的口袋。

汉代的商人有"市籍",即城市户口。"贾人有市籍及家属,皆无得名田以便农。敢犯令,没入田货。"国家明文规定,贾人名下不能有土地。早先的城市户口和今天的农村户口差不多,不太受人爱戴。

告缗这道法令值得反思。告缗的收效是巨大的,"得民财物以亿计,奴婢以千万数,田,大县数百顷,小县百余顷,宅亦如之"。但是,"商贾中家以上大氐破",中国的商贸业在汉武帝一朝陷入了毁灭性的泥沼。比这更可怕的是,告缗使民风败恶,倡导诚信反而使诚信沦丧,百姓风行给政府打小报告,做政府的密探,"民偷甘食好衣,不事畜藏之业"。

汉武帝时期有一位纳税楷模叫卜式,洛阳人,以养羊为业,后来发展成规模化养殖,有几千头吧。他在两次战争中受到汉武帝重奖,并且被破格提拔为官。一次是北战匈奴,卜式上书,愿捐出一半家产。"召拜式为中郎,赐爵左庶长,田十顷,布告天下。"另一次是南征,卜式又上书,愿"父子……死南越"。天子下诏褒扬,"赐爵关内侯,金六十斤,田十顷,布告天下"。后又拜御史大夫,由地方官晋为京官,但不久卜式就失宠了,因为对车船税提了反对意见。"船有算,商者少,物贵。""上不说(悦)……贬为太子太傅",名噪一时的拥军爱国明星去履任闲职了。

经济政策是用来富国的,如果沦落为政府敛钱的手段,就是误国了。

董仲舒的藏身之处

墓，是人最后一个藏身之处。

董仲舒的墓碑，被砌在一堵墙内。墙是一家部队干休所的，碑面临街，上书"董仲舒墓，陕西省第一批保护文物，一九五六年八月六日"，另一面在干休所内，上书"董仲舒，西汉哲学家，其大一统的政治理论，对于西汉的统一与巩固起了积极的作用，所著《春秋繁露》《董子文集》传于世。昔汉武帝每幸芙蓉苑，至董仲舒墓下马，故世人称之谓'下马陵'，明正德时陕西巡抚王珝修建陵园，称为'董子祠'。清康熙六年（公元1667年）咸宁知县黄家鼎重建祠堂三间，并于大门前立石，上刻'下马陵'三字。乾隆时陕西巡抚毕沅又对陵园重加修缮，以示对这位西汉学者的纪念，墓现存封土高约2.5米，直径约6米。"在西安老城墙的东南方位，傍着城墙根下，由文昌门至和平门这一段道路长约八百米，叫下马陵。董仲舒的墓碑就被夹立在这条街上。

关于董仲舒的墓,史志上大体有三种说法。下马陵是一种。第二种说法是《陕西通志》(明嘉靖)里的记载:"董仲舒墓在城南六里。"班固《汉书·董仲舒传》为第三种,"仲舒在家(今河北衡水枣强),朝廷如有大议,使者及廷尉张汤就其家而问之,其对皆有明法。自武帝初立,魏其、武安侯为相而隆儒矣。及仲舒对册,推明孔氏,抑黜百家。立学校之官,州郡举茂材孝廉,皆自仲舒发之。年老,以寿终于家,家徙茂陵。"《史记·儒林列传》只是讲到"董仲舒恐久获罪,疾免居家。至卒,终不治产业,以修学著书为事"。茂陵是汉武帝陵寝,茂陵以北一华里外有个村庄叫策村,隶属兴平市,几百户居民多为董姓,在策村东南,有一封土冢,当代专家考据认定是董仲舒墓。北宋《太平寰宇记》记载:"董仲舒墓,在(兴平)县东北二十里。"这个记载与策村相吻合。

今天《辞海》和《辞源》的说法也有差异。《辞海》为:"下马陵,古地名。在今陕西西安市和平门附近。本西汉董仲舒墓,一说汉武帝游宜春苑,曾在此下马,一说董的信徒过此皆下马,因以为名。俗称虾蟆陵。"《辞源》为:"虾蟆陵,地名,在长安城东南,与曲江近,相传为董仲舒墓,门人过此皆下马,故称下马陵,后人音误为虾蟆陵。见唐李肇《国史补》。一说汉武帝幸芙蓉园,至此下马,遂误为虾蟆陵。唐时为妓女聚处,唐白居易《长庆集十二琵琶引》:'自言本是京城女,家在虾蟆陵下住。'"

董仲舒了不起的地方,是奠基了儒学在中国文化里的核心位置,由礼而理,以礼入教。在中国,即使再偏僻的村子,即使是文盲村,没有人念过什么书,但儒家仁义礼智信那些基本常识也是熟稔的。董仲舒还有一句话,该给予重视,"居民而伸君,居君而伸天"。限制地方势力,树立天子权威。限制天子权力,树立顺天地应自然的法度。天子不是至高无上的,而是受命于天。在董仲舒所处的时代,有这样的认识,真是挺伟大的。我们多年前有一首歌,开头的歌词是,爹亲娘亲不如什么亲,天大地大不如什么大,两者一比较,认识上的区别就出来了。

尊师重教,是今天的口头禅。师与教,怎么样尊,怎么样才算重,仅靠嘴皮子利索是不够的。

《食货志》里的一笔良心账

《汉书·食货志》是阐述汉代三农问题及国家财政手段的大文章。食货的定义是,"洪范八政,一曰食,二曰货。食谓农殖嘉谷可食之物,货谓布帛可衣,及金、刀、龟、贝,所以分财布利通有无者也。二者,生民之本,兴自神农之世。"

今天有一个时尚词,叫新农村建设。《食货志》里讲的,是中国的老农村建设。以前的史官,是记录国家历史的官员,也是给国家做顶层设计的行家。在《食货志》里,班固规划了一个村庄蓝图:

八户人家,井田一方,九百亩为一村落。每户"各受私田百亩,公田十亩,是为八百八十亩,余二十亩以为庐舍"。八户人家各拥有两处屋所,农忙时田野里一处,秋收后邑里一处。"在野曰庐,在邑曰里。""春令民毕出在野,冬则毕入于邑。"每户受十亩公田,是预防邻里纠纷。谁家房基地宽了,谁家的庄稼爬到别人地里去了,这一类的隐怨可免除。"出入相友，守望相助，疾病相救，民是以和睦。"

以前的百姓不叫公民，叫子民，皇帝是家长，老有所养，少有所教是国家义务。"民年二十受田，六十归田。七十以上，上所养也；十岁以下，上所长也；十一以上，上所强也。"人到七十古来稀，七十岁以上的老人，国家要赡养。十岁以下的孩子，地方政府有责任保护他们健康成长。十一岁到二十岁"受田"之前，地方政府要督促他们奋发好强。教育是政府的重要工作。"里有序而乡有庠。序以明教，庠则行礼而视化焉。""八岁入小学，学六甲、五方、书计之事，始知室家长幼之节。十五入大学，学先圣礼乐，而知朝廷君臣之礼。其有秀异者，移乡学于庠序。庠序之异者，移国学于少学。诸侯岁贡小学之异者于天子。"在小学学习做人做事的道理，十五岁以后才进行爱国爱党以及专业教育。班固的这个设计是合情理的，在小学学习做人，年龄大一些，再学习别的。小学阶段是不适宜进行"革命接班人"训练的。

"理民之道，地著为本"，农民安心生产生活，踏实过日子，国家才会平稳安定。怎么让农民安心呢？班固为农民说话，也为农民算了一笔良心账，读着既怵目，也让人沉思。以五口人家为例，种田一百亩，以亩产1.5石计，收成是150石，上缴10%的农业税，15石。月人均口粮1.5石，全家一年需90石填饱肚子。余粮45石。当年每石粮食市场价是30钱，销售后，收入1350钱。再除去日常开销，衣物等项，每人每年300钱，需1500钱。教育、祭祀（社间尝新，春秋之祠）费用约300钱。五口之家辛苦劳务一年，净亏450钱，且"不幸疾病死丧之费，及上赋敛，又未与此"。

面对农民的这种生存压力，政府必须介入，这是政府的应尽之责。班固列举了战国时期的"魏国模式"，鼓励增产增收与政府平准粮价相结合，丰收年，政府以高于市场价格收购粮食，作为国家储备。灾年，再以低价开仓济民救市。班固清醒的认识到，平准市价的最大受益者不是农民，而是政府。"籴甚贵伤民，甚贱伤农。民伤则离散，农伤则国贫，故甚贵与甚贱，其伤一也。善为国者，使民毋伤而农益劝。"

《食货志》里还细致地介绍了几种先进的农耕方法，包括新发明的农用机械，该算作当时的农业高科技。

汉文帝的伟大之举是减免农业税。先由1/10减至1/15，后听从贾谊晁错谏言，全部免除，"乃下诏赐民十二年租税之半。明年，遂除民田之租税"。十三年后，景帝二年，又大幅降为1/30，"令民半出田租，三十而税一也。"

2004年，中国部分省市试点免除农业税，2006年起全国免除农业税，取消烟叶以外的农林特产税。这是一项大好的政策。但当年一家大报有一句评述:"中国延续了2600多年的'皇粮国税'走进了历史博物馆。"这位作者,可能没读过《食货志》。

还有一点需警惕,当下农用物资的乱涨价,是给这项好国策打折扣的。

八政与九畴

《洪范》一文出自《尚书》，讲帝王术的，是对话体例。

武王克服殷商典立周朝，向箕子问政，箕子以大禹治水，洪水就范开题，讲述了天子必须具备的九门学问。后人称之为洪范九畴。洪范这个词由此被引义为崇高规范。

箕子是商朝的持不同政见者。《论语》里有一句话："微子去之，箕子为之奴，比干谏而死。子曰，殷有三仁。"这句话有点笼统，但微言大义，点出了殷商失国的最大症结是失仁。《史记·微子世家》讲的具体，也形象生动。微子、箕子、比干是殷商重臣，也是纣王的反对党。微子是纣王的长兄，箕子和比干辈分高，是亲叔叔。三位政治人物三种人生走向，三种结局。微子先流亡，后投诚武王，"肉袒面缚，左牵羊，右把茅，膝行而前以告。于是武王乃释微子，复其位如故"。微子后来鼻祖宋国。比干因直谏遭挖心而惨死。箕子先装疯，再为奴，后远走东北，开疆拓土，建立了朝鲜国。

"武王既克殷，访问箕子"（《史记·微子世家》）。这次访问的成果就是留传下了《洪范》这个大文章。武王给箕子的报酬也是巨大的，"于是武王乃封箕子于朝鲜而不臣也"（《史记·微子世家》）。中国与朝鲜是兄弟国家自武王封箕子始。

《洪范》九畴的具体内容是：一曰五行（水火木金土）；敬用五事（貌言视听思）；农用八政（食、货、祀、司空、司徒、司寇、礼、兵）；协用五纪（岁、月、日、星辰、历数）；建用皇极；又用三德（正直、刚克、柔克）；明用稽疑（卜筮）；念用庶征（天地的预兆征象）；向用五福（寿、富、康宁、攸好德、孝终命）；威用六极（凶、疾、忧、贫、恶、弱）。《洪范》一文浓缩中国传统文化的骨髓，被后朝高度重视，是太子的必读书，也是皇帝的工具书。

九畴里的农用八政，讲国家管理的八个层面，是最早的"国八条"。食，泛指农业。货，金融、财税、工商贸易。祀是敬，是谢天谢地。"天子祭天地，祭四方，诸侯祭域内山川。"古人很少讲重整旧河山、人定胜天这一类硬茬子话。我们这一时代建国六十余年，在江河治理上下手太过重，黄河时而断流，以及一些中小河流严重缩水甚至干涸的问题应视为教训被汲取。司空是城乡基本建设。司徒是教育。司寇即司法。礼是法律行规，政府的文风，百姓的民风及精神文明。兵指军事。古代的干部考核，也是以"八政"做基础的，比如唐朝的"四善二十七最"，考核官员业务能力的各项指标规定得很具体。在古人的认识里，一个公务员，仅有政治觉悟，是不称职的。

《洪范》九畴，是《汉书》写作的指导思想，也是《汉书》成为一部中国大书的基本所在。我们今人修史或著书，用什么作为指导思想，我觉着到了需要认真思考和慎重对待的时候了。

采风是怎么一回事

采风的正义,是民意调查。

早先的君王,与后世的情景差不多,从身边人嘴里听到的,基本上全是好听的,动听的,耐听的,真话与实情基本上听不到。为防止被与世隔绝,就开通了这条洞察民间冷暖的文路。采风主要是采诗,采集老百姓创作的反映日常甘苦的诗。早先的诗,与后来的诗也有点区别,后来人写诗,多显示文学上的才能,是文学创作,为做诗人而写,为出版诗集而写。早先的诗主要是抒写人活着各种各样的难受,各种各样的不容易。是即兴的,是有感而发的,是有的放矢的。有点类似今天的手机短信,国家出台了新政策,或者社会上有了突发事件,百姓里的智者就及时地做出导读或点评。

典籍里是这样记述"采诗"以及诗的定义的:

从十月尽正月止，男女有所怨恨，相从而歌，饥者歌其食，劳者歌其事。男年六十，女年五十无子者，官衣食之，使之民间求诗，乡移於邑，邑移於国，国以闻於天子。故王者不出牖户，尽知天下所苦，不下堂而知四方。（《春秋公羊传注疏》）

故古有采诗之官，王者所以观风俗，知得失，自考正也。（《汉书·艺文志》）

孟春之月，群居者将散，行人振木铎徇于路以采诗，献之大师，比其音律，以闻于天子。故曰王者不窥牖户而知天下。（《汉书·食货志》）

诵其言谓之诗，咏其声谓之歌。（《汉书·艺文志》）

《诗》以正言，义之用也。（《汉书·艺文志》）

"官衣食之"，穿着官服，领着官员俸禄，用今天的话讲，叫比照公务员。采诗机构，相当于文联这样的部门。"行人振木铎徇于路以采诗。"采诗官摇着木铎沿路采诗。木铎，是早先的响器，大铃，铜制木舌。古代有重要政令出台，或重大节点日子才使用木铎，"古者将有新令，必奋木铎以警众，使明听也。""文事奋木铎，武事奋金铎。"比如春分这个节令，春分早先的称呼叫日夜分，"是月也，日夜分，雷乃发声，始电。蛰虫咸动，启户始出。先雷三日，奋木铎以令兆民曰：'雷将发声，有不戒其容止者，生子不备，必有凶灾。'"这是礼记里的话，意思是，进入春分，雷声发作，间或闪电，冬眠虫类觉醒，破土而出。春分前三天，要摇着木铎警示百姓，"雷声即将发作，言行举止有不守礼仪规则的（天将惩戒），生下的孩子会有缺陷，还会有别的凶象"。日夜分，是天循法则，人也要守社会的法则。以这个层面为出发点，就容易理解《论语》里的这句话了："天下之失道也久矣，天将以夫子为木铎。"

以前诗官采诗，侧重"怨刺之诗"，如果国家没有发生重大功德事情，没来由地对政府或领导歌功颂德，被视为诗里的下作，不被采信。当年的君王真够了不起的，他们进行民意调查，不是往各地派出工作组，工作组收集上来的意见大概不够鲜活，百姓因为有所顾虑也不一定敢说实话，在信息交通手段那么差的时代，有采诗这样的政策，应视为大的政治智慧。

采诗制度真正的实施,其实也是很有限的。在隋朝已经有人发出了感慨:"诸侯不贡诗,天子不采风,乐官不达雅,国史不明变,呜呼,斯则久矣。"清朝的画家俞蛟也有调侃的句子:"采风问俗,纪载宜详;品翠题红,篇章争丽。"今天也倡行采风,说"采风问俗,纪载宜详"有些奢望,但愿"品翠题红,篇章争丽"少一些,尽可能地说几句真话和实话吧。

使时见用 功化必盛

文章当合时宜而著。

合时宜，是切合社会进程的大节奏，而不是一时的节拍或鼓点。写文章的人，宜心明眼亮心沉着，看出世态的焦点所在，看出社会的趋势之变。文章一旦失去时代与社会的实感，失去真知和真情，就衰落了。

《食货志》里引述了贾谊的《论积贮疏》和《谏铸钱疏》以及晁错的《论贵粟疏》。《论积贮疏》着眼于国家储备，《论贵粟疏》讲国家粮食安全的迫切。汉代建立在暴政之后，说好听一点叫百废待兴，实际上是国力疲敝，民不聊生，当务之急是安农务业，明白"理民之道，地著为本"的道理。"一夫不耕，或受之饥；一女不织，或受之寒。""汉之为汉凡四十年矣，公私之积犹可哀痛。失时不雨，民且狼顾；岁恶不入，请卖爵子。""夫积贮者，天下之大命也。苟粟多而财有余，何为而不成？"

"故务民于农桑，薄赋敛，广畜积，以实仓廪，备水旱，故民可得而有也。"这些金玉良言是真知灼见，也是汉代文景之治的基石。

《谏铸钱疏》讲货币改革。汉朝立国，货币上仍袭秦制，用的是"十二铢钱"，百姓俗称"秦半两"，古制一两二十四铢。吕后掌权柄后，铜资源匮乏，缩水为"八铢钱"，汉文帝再缩，为"四铢钱"，当时的货币不由国家银行统一发行，而是允许私铸，铜矿掌握在几位王公贵胄手中，大的利益被他们霸占了，小商人也是各出奇招，甚至用锉刀把铜钱锉薄锉窄，用铜屑再铸。当时的钱质量不一，有的不足一铢钱，大小如"榆荚"，被讥为"榆荚半两"。贾谊上奏，据陈弊害，力主废止私铸，由中央统一制行。但碍于时政，文景二帝均未能实施，直到汉武帝元狩四年，才颁令禁私铸，先制"三铢钱"，仅发行一年又废止，再发行"五铢钱"，沿行七百余年，成为世界上被使用最久的一种货币。

贾谊和晁错的文章之大，就大在合时宜。

贾谊是洛阳人，十八岁"以能诵诗属书闻于郡中"，二十一岁被汉文帝召为博士，"每诏令议下，诸老先生不能言，贾生尽为之对，人人各如其意所欲出。诸生于是乃以为能，不及也。孝文帝说（悦）之，超迁，一岁中至太中大夫。"超迁，是破格提拔。但"宫廷水深，惟定力能够"，仅仅两年，贾谊因"年少初学，专欲擅权，纷乱诸事"贬为长沙王太傅。过湘水时，写了《吊屈原赋》。在长沙期间，一天黄昏，有鹏鸟飞入其室，鹏鸟是不祥鸟，伤时叹岁之余又写出《鹏鸟赋》。

28岁时，贾谊回到长安，转任文帝幼子梁怀王刘揖太傅，这一时期又振奋起来，写出了备受毛泽东推崇的《陈政事疏》，又称《治安策》。32岁时候，梁怀王坠马身亡，第二年，贾谊亦忧郁而终。

司马迁给贾谊的评语是，"读鹏鸟赋，同死生，轻去就，又爽然自失矣。"

班固《贾谊传》的结论为："赞曰：刘向称'贾谊言三代与秦治乱之意，其论甚美，通达国体，虽古之伊、管未能远过也。使时见用，功化必盛。为庸臣所害，甚可悼痛。'追观孝文玄默躬行以移风俗，谊之所陈略施行矣。及欲改定制度，以汉为土德，色上黄，数用五，及欲试属国，施五饵三表以系单于，其术固以疏矣。谊亦天年早终，虽不至公卿，未为不遇也。凡所著述五十八篇，掇其切于世事者著于传云。"

毛泽东有两首诗，是专写贾谊的，一首七律，一首七绝。

少年倜傥廊庙才，壮志未酬事堪哀。
胸罗文章兵百万，胆照华国树千台。
雄英无计倾圣主，高节终竟受疑猜。
千古同惜长沙傅，空白汨罗步尘埃。

贾生才调世无伦，哭泣情怀吊屈文。
梁王坠马寻常事，何用哀伤付一生。

晁错是颍川人，在今天的禹川一带。

晁错先治刑名之学，再拜儒家，敢言敢谏敢为，政治资历也厚实。文帝时"以文学为太常掌故"，之后，"诏以为太子舍人，门大夫，……家令，以其辩得幸太子，太子家号曰'智囊'。"文帝山崩，太子即位为景帝，"以错为内史"，内史位高权重，是皇帝秘书，后升迁御史大夫。

《汉书·艺文志》把贾谊列为诸子，把晁错归入法家，晁错文章存目三十一篇，但多数佚失，现存的散见于《汉书》里，有《论贵粟疏》《言兵事书》《守边劝农疏》《募民实塞疏》等。

司马迁给晁错的评价是"峭直刻深。"《史记》有《袁盎晁错列传》。司马迁把袁盎和晁错排放在一起是有用心的，两个人同为股肱大臣，却是政敌，是死对头。"盎素不好晁错，晁错所居坐，盎去；盎坐，错亦去：两人未尝同堂语。"晁错借吴楚七国之乱想除掉袁盎，但袁盎功力更胜一筹，抢先一步，以"斩错以谢吴，吴兵乃可罢"说服景帝。晁错被"上令晁错衣朝衣斩东市"——穿着官服在长安东市被腰斩。

晁错政治见解高明，但政治技术一般，性格也糙一些，"诸大功臣多不好错"。《史记》里记载了两个细节，略可见晁错生硬的一面。任职皇帝秘书时，内史府紧邻太庙，门朝东，出入不太方便，晁错便凿了太上庙的墙从南门出。太庙是皇帝奉祖的地方，凿太庙是大不敬，是死罪。宰相申徒嘉也是不太待见晁错，如果不是皇帝出面调和，这件事足以要了晁错的命。

景帝时期，地方诸侯势力颇大，晁错上书请求削藩。此事在朝中争议很大，晁错父亲听说后，从颍川急匆匆赶到京城长安，力劝晁错停止这件事，晁错坚持己见。"错父曰：'刘氏安矣，而晁氏危矣，吾去公归矣！'遂饮药死，曰：'吾不忍见祸及吾身。'死十余日,吴楚七国果反,以诛错为名。"晁错为国家谋事办差,是背着逆父害父的恶名声的。

贾谊和晁错都是兴国的旷世人才,汉代有文景之治的大好局面,是得到这两位人物的智慧因果的。兴国人才,不一定是治国人才,难免有不全备之憾,还是班固概括得好,评价也中肯到位——"使时见用,功化必盛"。

刘邦的新农村建设

汉高祖刘邦即位后，在长安城东郊郦邑，今西安市临潼区内，依照老家模样，为父亲刘煓克隆兴建了一个村子。刘邦的出生地是"沛丰邑中阳里"，今天徐州丰县境内。公元前197年，高祖十年甲辰七月，"太上皇崩栎阳宫"，刘邦颁诏："更名郦邑曰新丰"。

《西京杂记》是这么记载这个新农村的：

太上皇徙长安，居深宫，凄怆不乐。高祖窃因左右问其故，以平生所好，皆屠贩少年，酤酒卖饼，斗鸡蹴鞠，以此为欢，今皆无此，故以不乐。高祖乃作新丰，移诸故人实之，太上皇乃悦。故新丰多无赖，无衣冠子弟故也。高祖少时，常祭枌榆之社。及移新丰，亦还立焉。高帝既作新丰，并移旧社，衢巷栋宇，物色惟旧。士女老幼，相携路首，各知其室。放犬羊鸡鸭于通涂，亦竞识其家。其匠人胡宽所营也。移者皆悦其似而德之，故竞加赏赠，月余，致累百金。

刘邦是孝子，见父亲因想念农家乐而郁闷，很是心急。如果是普通人家的儿子，顶大了会陪父亲回老家住些日子。但他是皇帝，他可以再造一个村子，连父老乡亲一并搬迁过来，"移诸故人实之"，而且是高仿真的，鸡狗鸭羊都能找到各自的家门，皇威浩荡，鸡犬上天。只是这个村子不太注重文化建设，"故新丰多无赖，无衣冠子弟故也"。衣冠子弟指的是有教养的年轻人，刘邦当时真应该建一所希望小学和希望中学的。他一辈子看轻读书之乐，他打小就敬重土地。"高祖少时，常祭枌榆之社"，社是土地庙，枌榆是他老家一个乡里地名，因此建新村时，家乡的土地爷也被请过来了。

胡宽是建筑师，他把新村子复原到这般地步，修旧如旧，传形也传神，是大手笔，收点礼金是该得的。

关于刘邦的父亲刘煓，有两件具体事，司马迁的《史记》和班固的《汉书》均作了记载。其一刘邦不是他亲播的种子。"父曰太公，母曰刘媪。其先刘媪尝息大泽之陂，梦与神遇。是时雷电晦冥，太公往视，则见蛟龙于其上。已而有身，遂产高祖。""大泽之陂"，湖边的意思。"太公往视"，他是亲眼目睹他老婆神交过程的，正史胆敢这么写，真是史家的骄傲。

其二，刘邦即位后，刘煓对儿子也是常端严父架子的，刘邦设置一个官位，"太公家令"，即太公办公室主任，这位主任深明大义，劝谏太公："天亡二日，土亡二王。皇帝虽子，人主也；太公虽父，人臣也。奈何令人主拜人臣！如此，则威重不行。"太公知错即改。刘邦颁诏"人之至亲，莫亲于父子……诸王、通侯、将军、群卿、大夫已尊朕为皇帝，而太公未有号，今上尊太公曰太上皇。"刘煓成为中国历史里活着被尊为太上皇的第一人。刘邦在建国治国上不拘一格，在治家上也够创新的。

新丰村是被皇恩照耀着建成的，是国家直辖村。外在建设是一流的，但鸡狗有着落，民心无着落，"新丰村多无赖"，史评如此真够露骨的。刘邦建这个村子的初衷也不在民心上，他尽的是孝心，全村人是帮着他尽孝的。因此他父亲百年之后，这个村子差不多也就寿终正寝了。

身体里的风气

身体器官的服务员

大脑是受身体器官支配的。

饿了,要吃。渴了,要喝。寒了增衣,瞌睡了找枕头。腰酸了揉腰,腿麻了捶腿。憋屈了,出门走走,散散心。到年龄了,进小学中学大学,读硕士念博士,老话叫金榜题名,新名词叫为中华之崛起而读书。再到岁数了,娶个人或嫁个人,洞房花烛,乱云飞渡,把婚姻大事办了。这些都是大脑的常务工作。

见到好吃的多吃几口,碰到漂亮的人多看几眼,遇着顺耳话多听几句。这是人之常情,但要守个度,不宜过量。人往高处走,芝麻开花节节高。敌人一天天烂下去,我们一天天好起来。这些都是励志的话,按着这样的图纸去施工的时候,大脑一定要清醒,不要被这些话弄得头昏脑涨,要留神这些话背后危险的一面。人做下了糊涂事,用西安土话说,叫脑子进水了。贪污犯,盗窃犯,强奸犯,杀人犯,脑子里不仅进了水,而且是涝了。

人肚子里，窝藏着两种东西，食物和知识。这两样东西性质不同，但运行原理是一样的。都是以有形的模样，在大脑的统筹下收入囊中。饺子、面条、米、肉、蔬菜是食物，课本、书、典籍、榜样的行为是知识，之后消化成无形的能量，分散供给身体的各个器官。无法再消化的，就通过渠道排泄出去。一个人把"之乎者也"吃进肚子，吐出来还是满嘴的"之乎者也"，就是没有消化好。读书和吃饭一样，不是越多越好，吃饱就行了。但吃饱了要去干活，这是吃的目的。一个人读了一肚子书，满腹经纶而无所作为，也是饭桶。

头悬梁，锥刺股，是古人发奋读书的两段掌故，是防瞌睡的苦肉办法。现代社会里这样的事少了，听的多的是割眼皮、垫鼻子、瘦腰瘦脸蛋不成功的医案。无论为了读书，还是为了美丽，这些方法均不宜提倡，精神升华到不给自己身体制造麻烦的程度为最佳。庄子写过三个残疾人，王骀、申徒嘉和哀骀它。前面两位没有小腿，是"兀者"。后边一位顾名思义，没脚趾头，而且相貌丑陋。但这三位都是大智慧人，威震八方。王骀让孔子五体投地，申徒嘉让郑国宰相子产无地自容，哀骀它让鲁哀公心甘情愿献出王位。这三位智者的大脑，不是自己身体器官的好服务员，没照顾好身体的零部件，但它们实现了生命价值的最大化。这样的天赋人才也是极端的例子，观众不宜模仿。

笨人

笨字，上下结构，上竹下本，本分做着基础。竹"其表曰筀，其里曰笨"，这是《广雅·释草》给"笨"的定位。

战国时候有一个笨人，叫商丘开，不仅笨，而且穷，衣食住行皆忧，在荒郊野外搭个草棚混日子。一天来了两个举止不凡的人借宿，半夜里听到两位高士激赏他们的领导人。领导人叫范子华，无官无职，但社会名望广播，用眼皮底下的术语讲叫达人。这位达人是晋国人，不仅有虚名，还有社会势力，"使存者亡，亡者存，富者贫，贫者富""目所偏视，晋国爵之；口所偏肥，晋国黜之"。他看中的人，一路飙升，他不待见的人，在晋国没有容身之地。

我们科举取仕制度是从隋朝开始的，在此之前，民间的人才是靠推荐脱颖而出的，老话叫"察举"，察举者就是这些达人，各种各样的"才俊"都投身到达人的门楣之下，这是达人成为显贵的基础。战国时候"门客"风气流行，到了东汉阶段"门阀"之乱甚至动摇了国家的根本。国家实行科举取仕之后，"门阀"传统在民间依旧存留着，近代上海的青红帮，以及当下政府倾力打击的"黑恶势力"，都能找到当年的影子。

商丘开所处的正是"门客"之风姹紫嫣红的时代，偷听了两位高士的夜话之后，他作出了一个决定，借粮借盘缠，去投奔范子华。但范氏门庭广大，"门徒皆世族也，缟衣乘轩，缓步阔视"，在这些人眼中，商丘开的形象是"年老力弱，面目黎黑，衣冠不检"，他最初得到的待遇是"狎侮欺诒，挡㧱挨抌，亡所不为"。古人用词真是准确而鲜活。"挡㧱挨抌"，这些字真是给汉语长了形象的翅膀。在这样的礼遇面前，商丘开并无"愠容"，但他的心态不是忍辱，而是自知"不及"，坦然面对自己的不及，这样的心态叫诚。一个人心里有了诚，就给做大事打好了底子。

门客们还用两件具体的事取笑于他：

第一件事是在一个高台之上，该有几层楼高吧，有人提议说，"有能自投下者赏百金。"大家说好呀好呀，显然是事先商量好的。商丘开"遂先投下，形若飞鸟，扬于地，肌骨无硋"。

第二件事是在一条河的急转弯之处，有人指着汹涌的漩涡说："彼中有宝珠，泳可得也。""商丘开复从而泳之，既出，果得珠焉。"

商丘开的这两次表现引起了范子华的重视，"令豫肉食衣锦之次"，待遇被提高了。穿上了白领衣服，吃饭也坐到了有肉食的桌子上。真正改变商丘开命运的是一场火灾。"范氏之藏大火。子华曰：'若能入火取锦者，从所得多少赏若。'商丘开往无难色，入火往还，埃不漫，身不焦"。门客们都服气了，以为他是得道之人，纷纷向他道歉。商丘开说，我没有道，我是带着改变命运的想法来到这里的。你们说什么，我都觉着是真的，没怀疑过。"唯恐诚之之不至，行之之不及""心一而已。物亡迕者，如斯而已。"

商丘开讲的话，用大白话说就是心诚则灵。笨是不设防，不设防有什么益处？醉鬼，睡熟的人，以及婴儿从高处摔下来，所伤是无大损的。笨还有一层内涵，就是肯下死力气。心诚，再加上一膀子死力气，只要不是航天飞船入太空那类特殊的事，世上很多难题都可以解开。再说，商丘开做的这三件事，对于穷困潦倒、苟活于野外的他来说，还是有一点基本功的。

商丘开不仅改变了自己的命运，也影响了门客们的人生观，"范氏门徒路遇乞儿马医,弗敢辱也,必下车而揖之"。

我们的传统文化重视"诚","至诚之道,可以前知"。诚和信是有区别的。宗教讲信,讲信心,"信则得救"。但要留神信的外围还有不信那种阴影。信没有诚那么透亮。诚心是把自己的内心打扫得干干净净。太上老君手里的那把佛尘,是修诚心的法具。如今社会上号召着讲"诚信",这两个东西不好放一起讲。两手抓,两手就都不硬了。

内装修

我们的中医很了不起，用风和气的原理解释人的身体。

关于风和气，描述的最早，也最文学的是庄子，"大块噫气，其名为风"。风是无形状的，我们走在旷野里，被风簇拥着，那是身体的感觉。风吹皱一池春水，那是水的响应。风也是无声的，我们听到的声音，风声鹤唳，冷风嗖嗖，狂风怒号，是风碰到了东西，摩擦碰撞引发的动静。风碰到实的虚的东西，发出的声音是不一样的，有些如击鼓，有些如拿捏笛箫，有些如撩拨琴瑟，有些简陋的就是喇叭唢呐。庄子还发明了一个词，叫"吹万"，世间万物的千姿百态，都是大自然这么"吹"出来的。

风协调着世间的万有。和谐了，则风和日丽，风调雨顺。风遇到梗阻，风云突变，就会出问题。小一点的问题如台风、龙卷风、飓风，夹带着沙尘暴。大的问题如厄尔尼诺现象、拉尼娜现象，气候出现异常，大旱、大涝、酷暑、奇寒。"吹万"是大环境，大环境是人力不能左右的。有人类历史以来,大环境没有什么变化,日月星辰,风云雷电,大江大海,基本还是老样子,中间出现的局部问题,都是人类自酿的苦酒。由此也可以印证,"人定胜天"那句话,是一句妄语。

我们每个人的身体,都是一个小地球,也可以叫小宇宙。一个人起早贪黑地忙碌,就是地球在一天一天自转。我们的身体被风内控着,意气风发,神清气爽,满面春风,甚至趾高气扬,都是风在体内运行正常的形态。风行不畅,麻烦就来了。风在"窍"处遇阻,会打嗝,放屁。风滞在经脉上,风湿、类风湿、关节炎,包括痛风这些病状就出现了,这些都是小麻烦,"中风"就复杂了,不仅仅是风行不畅,是风控制不了身体的局面了。中风的初级阶段头晕、眩晕、肢体麻木,高级阶段的恶果就不用我说了。

一个老中医告诉过我两句顺口溜,一句是"通则不痛,痛则不通",指的就是风在体内的运行原理。另一句是"有病没病,防风通圣","防风通圣丸"是老方剂,如今已是中成药,很普通,很便宜,两三块钱就给一大包。药普通,效果却神奇,有病治病,没病调理身子。

风和气不仅是生理的,还连着心理。喜怒哀乐是生理的,但和心理纠缠在一起。心安理得,心澄意远,也是这一层意思。生理和心理是"意识"的基础,说地基也行。意识的俗称叫念头。一个人从早晨醒来第一个念头计算起,到晚上睡着之前最后一个念头(把"梦想"排除在外),一天之中要生出多少"杂念"?主动的,被迫的,潜意识的,下意识的,恐怕再细心的人也不便统计出来。这些念头串联在一起,一天又一天,一年又一年,人活一辈子活啥呀,就是活这些念头。万念俱灰是形容一个人活够了,活烦了。故此,儒家才强调明心见性,修身养性。道家不仅修心,连身子骨都修。儒和道两家都是围绕着一个人的"万念"去修,去粗取精,去伪存真。

修身养性是内装修,但内装修妥帖了,还要有所为,一个身心健康的人,如果一辈子碌碌无为,应该是最大的憾事。

去欲的态度

欲是好东西,让人生有意义。

自然而然是欲,饿了吃饭,渴了喝水,寒了增衣,困了放松,瞌睡了找枕头,身子长全了想媳妇。由平庸到高尚,由常人到伟大,是欲在发挥作用。但欲是有界限的,煮饭的是火,火过头或煮糊了,或烧了厨房,是超限,是越界。中国的皇帝有伟大的一面,也有自私卑鄙的一面。比如太监这个职业,以前,在中央机关内部从事服务工作的男子要被阉割。陕西土话把阉割叫去势,这个词真是形象到位,把人的根本东西拿掉了,有形无势,无法形势大好。太监是皇帝私欲延伸的恶果,如果皇帝和普通人一样,只娶一个老婆,太监的形势就保全了。"养生难在去欲",是苏轼的一句名言。树长成栋梁要剪枝,平头百姓跃为大人物要去欲。皇帝是该带头去欲的,普通人的欲火烧自身,为所欲为的皇帝烧的可是整个国家。人去欲是难的,去掉哪些?去掉多少?不好把握。猪八戒是什么都不戒的，因而是个笑柄。和尚剃光头发，把头顶的、心里的全部去掉，放弃现实的人生，是难为人，特殊材料制成的人才能做到。让皇帝去欲，更难。吃屎喝尿的成了皇帝，我容易吗！电视剧《康熙王朝》有一句主题歌词："我真的还想再活五百年。"他是皇帝，肯定想活五百年，正受熬煎的老百姓，一天也不想多活。《康熙王朝》拍的好玩，捏造了康熙爷的种种德勤技能。处于民主进程的社会里，大讲皇帝的伟大，没有什么益处的。

  人生一辈子，寿限大约100年，性子急的少一些，肠子宽的略多一些。老天爷的这个设置是有大局观的，一个人活到六七十岁，把人生的基本东西看透了，但活明白了就退休了，只好把"人生经验"传递给下一代。这个节骨眼上，老天爷又加装了一个"代沟"的装置，孩子不吃老子那一套，所有的事情要重新来过，吃二遍苦，受二茬罪，把人生的跟头再重新跌一圈。"代沟"是符合科学发展观的，预防人类进化的步子迈得太快。试想人生是300年，退休制度是260岁，街上走的，屋里坐的，多数是人精。人种可能延续不到今天，早灭绝了。从这个角度看，老天爷也是在去欲，但成就的是天大的事。

  "人间随处有乘除"，这是曾国藩诗里的一句。曾国藩不是大诗人，写的多是哲理诗，在哲理上也比苏轼差一个档次。但苏轼不会带兵打仗，也不会经营自己的人生。诗词文章一篇比一篇好，但做官是一年比一年小，贬了再贬。苏轼属于虚高一等，在人生层面上"去欲"稍多了些。王维呀，白居易呀，又会写诗，又会做官，活的年头也长，鱼和熊掌都得了。

  人为财死，鸟为食亡，居家过日子一点一点积累财产，由温饱到小康，是做加法。一夜暴富的人，是做乘法。在秩序井然的社会里，做加法的人多，在少规则的年月，做乘法的人多。乱世出英雄，就是这个意思。乱世，不仅指战火硝烟，百姓流离失所，繁荣的社会缺少章法，至少不能叫政治澄明。

  做除法，先从减法做起。减法也难做，钱越多越好，名越重越好，官帽子越大越好。一个人从"闻鸡起舞"到"戴月荷锄归"，每天起早贪黑地忙碌，都是围绕着"钱、名、官"这三个字转。等到有一天累病了，躺在床上，心里才恨着骂这三个字竟无半点用处。但身子康复了，又上路去旋转了。

  有一个老掉牙的故事，说一个临死的财主，连着几天合不上眼皮，还高举着两个手指头，儿孙们百思不得其解，老伴相知一生，将燃着的两个油灯头，吹灭了其中一个，财主才放心地撒手尘寰。这样的人实在可恨又可爱，真真地是把一个事业进行到底了。

气

"气"这个字,繁体的写法是"氣",下边有个米字底,一个人的气象是要有米谷做基础的。

米谷是主食。小孩子嘴馋,好吃零食,牙吃蛀了,身子吃瘦了,家里的老人要施行严厉的"嘴禁"。"嘴禁"就是正餐之外的食物一概免开尊口。吃主食是人活着的基本,穷人以主食填饱肚子,而富裕人家的餐桌上,无论怎么花样迭出,那几样主食也是固定的。主食宽胃,苏轼有著名的"三养":"一曰安分以养福,二曰宽胃以养气,三曰省费以养财。"我们中国人讲养生,养生就是养气,阴阳和合,六神充盈。气是养护调理出来的。

养正气或浩然之气,仅靠宽胃是不够的。空洞地背诵理想信念,戴高帽子,更不行。养出大气需要磨砺。古代的人学射箭,除了练力道和准劲之外,还注重练气。记得读过一个轶闻,是讲练气的具体步骤的,差不多是个偏方:每次射箭的时候,在拉弓的胳膊肘处放一个碗,开弓放箭,碗毫不动摇,是度过了初级阶段;之后往碗里注水,半碗,多半碗,渐次加入到水满且不外溢的程度,可取得中级职称;高级职称就悬了,是站在悬崖峭壁上,"登高山,履危石,临百仞之渊,若能射乎?"现在想想,这种教学方法,对培养一个人的底气是大有益处的。一门心思只想赢,是赌徒的思路。在一个运动员训练基地,见到走廊上、场馆里,包括餐厅,到处挂着世界冠军的头像,这对运动员心理素质的养护是很不全面的。

读书人怎么养护正气,我没有见识过这方面的偏方,倒是知道两句很流行的话:"知识就是力量""知识改变命运"。我觉得这两句话很一般,或者说是阶段性用语,对落后的村子或封闭的社会比较适用。开着航空母舰满世界转的美国人不会完全信奉"知识就是力量"这一套。我们的文化传统里,对"知识"也是持审慎态度的,"忘知守本""多知为败""德荡乎名,知出乎争。名也者,相轧也;知也者,争之器也。二者凶器,非所以尽行也"。还有两句旧话:"百无一用是书生""书中自有颜如玉,书中自有黄金屋"。第一句是嘲讽读死书的人。第二句听上去有点不太正经,却是大实话。今天不这么讲了,今天讲博览群书,讲学贯中西。谁能真正学贯中西?神明都做不到。这种思维方式和如今奢谈烹调的那句话出于一辙,"色香味"俱全,什么都讲了,就是不涉及营养。读书也要吃主食,把几本重要的书,几位重要的人物,读明白想透彻,并能在书中找到自我,一辈子做事情就够用了。

写文章写出正气是更难得的。一篇文章里,如果洋溢出了清正之气,就是入了文学的境界。

客气

男女热恋的时候，都是客气的。情人眼里出西施，缺点也是美丽的。山盟海誓，囫囵吞枣，不计较，不清醒。但结婚过具体日子以后，就不客气了。"妇德"，是旧观念里加在女子头上的一把锁，要求女子为人妻后拘纲守礼，一辈子都保持客客气气。

以对方为前提，是客气之道。

中医研究气理，分主气和客气。主气是一个人身体内的常在之气，"三阳三阴，而周一年"。往具体里说，就是每年1月21日至来年的1月21日，两个月为一区间，故此称三阳三阴六气。还有一段顺口溜，叫"司天歌"："子午少阴为君火，丑未太阴临湿土。寅申少阳相火旺，卯酉阳明燥金所。辰戌太阳寒水边，巳亥厥阴风木主。初气起地之左间，司天在泉对面数。"主理上半年的客气叫司天，又称天气。经管下半年的客气叫在泉，也叫地气。

主气不是孤家寡人，与客气相生相从。主气是稳定的，客气是变化的。在一个人的身体里，主气客气相融，是和气顺气。主客反目，则生邪气。比如打嗝，皮肤上出疹子，是气不融的最小表现。如果客人在主人家里大发脾气，摔桌子砸板凳，是结了恩怨，上门找茬闹事去了。中医术语叫"客气虚张"，这样的话，身体就出乱子了。

《菜根谭》里也有一句话："名根未拔者，纵轻千乘甘一瓢，总堕尘情；客气未融者，虽泽四海利万世，终为剩技。"

运气这个词，指的就是主气和客气的相互协调，是五运六气的简写。五运是金木水火土五行变化，六气，在时间上是一年十二个月，又具体表现为风寒暑湿燥火六种气候。现代交通里"客运"那个词，出处也源自中医原理，客运是运客，客车是载客的车，车与客连体互动为一体。同道理，客气是载客的气，气里边是有实际内容的。我在一位中医家里见过一个对联："不通五运六气，遍读方书何济"。这是大实话，不懂规律，何谈方法。

客气还有伪饰的意思，语出《左传》，鲁定公八年，齐鲁有两场交恶，均是鲁入侵齐。鲁国有一位将军，叫冉猛，在两场战事中均佯伤作假，第一次装腿伤，撤退时走在队伍前边。第二次装做从战车上摔下来。得到的评价是"尽客气也"。

客气，有表面化的一面。热恋中的男女之爱，虽蒙头蒙脑，糊里糊涂，却存着天真。天真在，表面化也是可取的。

会说话

嘴是工具，主要用途是吃饭喝水说话。至于其他的功能，由个人喜好而定，比如吹箫，吹笛子，吹唢呐。再比如接吻，飞吻什么的。

说话直来直去着好，拐弯抹角的人不招待见。但有些特殊的场合，也是不宜开门见山的，要讲究说话的艺术，要会说话。

说三位大臣与帝王说话的典故：

晏婴是齐国的上大夫，相当于宰相。齐国有人得罪了齐景公，被绑押到大殿。齐景公发天威，下令把这个人肢解了，并且说，谁敢上谏一起杀。晏婴挽起袖子，亲自主刀。左手按着那个人脑袋，右手"霍霍霍"磨着刀，朗声询问景公："陛下，古代明王圣主肢解人，从哪里下刀？"齐景公闻言，立即说："纵之，罪在寡人。"

简雍是刘备的"从事郎中"，相当于外交部长。这个人很有水平，深得刘备的偏爱。朝中议事的时候,"独擅一榻",仅在诸葛亮之下。这一年蜀逢大旱,政府出台禁止酿私酒的法令,估计是为了节约用水。官员执法时,抓了一批家里藏着酿酒工具的人,准备对这些人依法论罪。一天,刘备和简雍在大街上微服私访,见一男一女有说有笑着闲走,简雍说:"这两人要行淫事,应该逮起来。"刘备问:"你怎么知道?"简雍回答:"这两人都带着行淫的工具呢。"刘备大笑,立即下令释放了藏酿酒工具的人。

有时候不说话,就是会说话。汉武帝刘彻的奶妈有恃无恐,做了一些过分事,武帝知道后很生气,要严办。奶妈为保住一条命,去找东方朔求救。东方朔给出的"救命稻草"是:"无论皇帝怎么训责你,都听着,不要辩解。皇帝着人拉你出去的时候,也不要说话,多回头看他几眼,有眼泪最好。"奶妈就是这么做的。人心是肉长的,养育之恩比天高,比海深,武帝心底最柔软的那块肉被激活了。"帝凄然,即赦免罪。"

中国的政治史有两条主线索,一条是皇帝线,一条是宰相线。皇帝是抛物线,因为我们的皇帝是家庭承包制,个人能力的差异起伏巨大。宰相是水平线,基本上都在高水准上运行。好皇帝身边有名相,窝囊废皇帝更离不开名相。皇帝一言九鼎,无所谓会不会说话。但宰相必须具备两个基本功:会办事,会说话,历史上因为不会说话掉脑袋的宰相和名医不可胜数。

嘴是工具,说话时是传声筒,吃饭时是饭桶,真正的后台老板是心,是脑子。"说话要凭良心""乱讲话,没脑子",坊间这两句俗话指的就是这层意思。其实写文章也是说话,只是工具变了,把嘴换成了笔。我觉着,会说五句话,差不多就是一流文章,这五句话是,说人话,说实话,说家常话,说中肯的话,说有个性有水平的话。

睡觉

睡而觉，这个词里，隐着禅机呢。

觉是人的意识流，觉醒，觉察，觉悟。视觉是眼睛的，触觉是肢体的，感觉是诸器官的，五脏六腑各尽其责，自负盈亏。知觉则要深入一层，是思虑之后的。佛有十大名号，其中一个叫应正等觉，"无乐与不乐，是名极乐；无求与不求，是名至尊；无是与不是，是名等正觉正遍知"。

《列子·周穆王》里讲"觉有八征"：故与为，得与丧，哀与乐，生与死。故与为是典型的中国式智慧，故是前世种子，为是此生功德。一个孩子出生了，鼻子随妈妈，眉毛随爸爸，额头隔辈传，像极了爷爷。还有更玄乎的，一个人来到一处地方，分明是头一遭，却没有陌生感，躺着的水熟悉，立着的石头熟悉，尤其那棵老槐树最亲切，恍惚去年才别过，一切如故。得与丧是取和舍，取是吸纳，舍是扬弃，人活着，要提防

"舍不得"那种心理,只吃不屙,身体要出大麻烦的。哀与乐,生与死是老生常谈,里边包含着的东西,让哲学家往高深里去说吧。

"睡个囫囵觉",这句俗话指的是睡而不觉,是睡舒坦了,是深睡眠好睡眠的意思。

睡和梦密切联络着,梦也是意识流,但和觉是一个大系统里的两种思路,梦是特别行政区,属一国两制范畴。关于梦,《列子》里也有具体的说道,梦有六候:"一曰正梦,二曰噩梦,三曰思梦,四曰寤梦,五曰喜梦,六曰惧梦。"

正梦守本,什么人做什么梦,茄子一行,豇豆一行。藏这个字,最充分的诠释是在梦里。贼窝赃是窝不住的,纸包不住火。但大盗能窝住,大盗盗国,所有的东西都成了他的。一杯水藏在哪里才得以保全,老祖宗说得明明白白,要收藏进河流里。人生的顶级理想叫梦想,一个士兵想当将军,是可以说出口的。但一个将军想当军委主席,是不敢说的,必须深藏在肚子的最深处。人生如梦的正解在哪里?我的理解就在诸葛亮的那首诗里:"大梦谁先觉,平生我自知。草堂春睡足,窗外日迟迟。"噩梦无须说了,一个人多行善事,可避噩梦。成功人士喜梦多,心怀鬼胎的人梦也多,但多是惧梦。寤梦在半睡半醒两可之间,但这多是身子骨弱的人睡不踏实造就的。擅长思梦的人是智者,"我思故我在"。却也不是大智,"至人无梦""愚人亦无梦",大智是大愚,用佛门槛里边的话讲,叫"言语道断,心行处灭"。

人体内最深奥处潜伏着两个能量源,一个叫魂,一个叫魄,魂是意志力层面的,比如有一个词叫灵魂。魄是生物钟层面的,还有一个词叫体魄。魂是上层建筑,是精神领袖。魄是物理基础,是生理主管。魂和魄两个字的结构,皆从鬼,都是可意会不可捉摸的东西。"魂魄失和""神游为梦"。魂和魄高度统一了,是大清和的境界,也就无所谓梦不梦了。但这样的人生,俗人能有几回合呢?

痴人会说梦。抄两句白日里的梦话,是戏词,是舞台上丑角说的:"独坐深山闷幽幽,两眼瞪着猫儿头。如要孤家愁眉展,除非豆花(儿)拌酱油。""小子力量大如天,纸糊(的)灯笼打得穿。开箱豆腐打得烂,打不烂除非(是)豆腐干。"这些话里,同样是有隐机呢。

心底那个"愚"字

一个人读了一段圣人书,念了几页佛经,突然眼前一亮,心底一惊,好像真明白了些什么。或看了一幅画,听了一个曲子,境界一下子上去了。正缥缈高兴的时候,旁边有人告诉他,股票跌了;职称没通过;当局长的事泡汤了;体检结果出来了,脑子里发现一个东西。听了这些话之后,这个人仍在那个境界上,下不来,就叫受活。从境界上下来了,不叫受活,叫活受罪。仅有受活还不够,接下来还要保持下去,叫受用。

王大平先生是《美文》杂志创刊时的奠基人物,今年七十岁了。六十四岁那一年给血管里搭了几个支架,上手术台的时候,情况急迫,医生请他留下几句话,他想了想,说:"台湾仍孤悬海外,见不到祖国统一了,就这一个遗憾。"几天前去和老汉聊天,又说及这件事,他自己听了也开心地笑。"荆棘丛中下脚易,月明窗前转身难。"我从大平先生身上学到了一堆编辑手艺,但境界这种东西学不来。

一个中学生做几何题，已知求证了一大通，最后证明的东西出不来，老师告诉他，你求证的方法错了。这是被方法蒙蔽了。

一辆汽车东拐西拐找不着要去的目的地，这辆车是被道路蒙蔽了。

一个事业家忙天忙地的，有一天烦了，抽个空去庙里烧几炷香，或捐个金刚什么的，从庙里出来，仍然又什么都敢做敢干。这不是被佛蒙蔽了，也不是让事业蒙蔽了，这是自己把自己蒙蔽了。

传说有一个官人，是高官，因贪墨过重被政府拿下了。清赃的时候，家里有一个保险柜打不开，密码是声控的。办案人员经验多，也熟悉这种声控技术，知道密码一般是四个字，"菩萨保佑""得天独厚""芝麻开门""武运长久"，几个人围着柜子喊了一天，也不见动静。只好押解官人回家，让他自理。官人乡音重，清了清嗓子，说："执政为民"，"啪"，柜门应声洞开，里边满满的全是硬通货。

一个人活着，或多或少或长或短都有想不开的时候，想不开，就是心底有个愚字在闹腾。每个人心底都有一个愚字，抱着它是一种活法，想办法扔又扔不掉也是一种活法，眼不见心不烦还是一种活法。但怎么样活，就是怎么样的人生。

身体里的风气

按照老说法,三天一气,五天一候,十天一旬,十五天一节,九十天一季,四季轮回,年复一年。天气,气候,节气,季节几个词是这么来的。我们老祖宗看天时的基础是依农时,依庄稼的生长规律,天和地呼应着看。但发射神舟飞船的气象基础,不是农时,因为需要准确地分析出近太空云层的薄厚变化,给飞船找一条出路,就是在云层中找个空子,让船钻出去,然后再满世界去转。现代气象学的基础已经改变了。

只要不离开地球,我们老祖宗的这一套东西是很符合科学发展观的。

候是内部变化的外在状态,中医望诊看症候,厨师料理看火候。按冷暖选择居住地的鸟叫候鸟,人按季节增减衣服,候鸟比人笨,不能换羽毛,只好换地方。但不要小觑这些鸟,它们是掌握气候变化的高手,是原始的气象学专家。人穿了战国时代的衣服成不了战国人,但候鸟飞到哪里就是哪里的鸟。

在传统观念里,气是原动力,是能量源,是存在的根本。人身体外的气叫空气,关上窗子,捂住嘴、鼻子,外边的空气进不到体内,人就死了。人的体内也是气,是实实在在的气,气也要排出去,排不出去,一样会死。一个人躺在地上,另一个人过来摸一摸,说,没气了,安排后事吧。

气的表达形式叫风,风发为气,意气风发,指的都是这层意思。气在体内运行不畅,中医叫气滞,严重了叫痛风,再重了叫中风。通则不痛,痛则不通。打嗝是初级气滞,关节炎要稍重些,脑中风麻烦就大了,眼斜嘴歪,手脚失常。

气在体内一定要顺行,这很重要。能逆行的是内功高手,是武侠小说里的人物。气横行的话,身体内部会出乱子,乱子是大病。在精神病院里,有的哭,有的笑,有的对墙发呆,有的走来走去,都是气在横行。把气捋顺,比把弯的铁棍弄直费劲多了。

中医里的"气"分阴阳。阳气是什么?两岁小男孩半夜里小牛牛直了,有时候是憋尿,没尿的时候就是阳气。进入青春期后就不太好分了,性被叫醒了,兵临城下,风雨欲来花满楼。阴气是什么?一个中年人坐在空调房子里仍然烦躁不安,而且吃什么都不是原来的味道,就是阴气不够用了。

在人的身体内,气是一个系统,血是另外的系统。各司其职,气血是不能混为一谈的。有点类似现在党委和政府的行政设置。气是主动的,是领导者。血是被动的,靠压力开展工作。给瓶子里注入水,水是沉在瓶子底部的。人站在地上,血不在脚踝周围,而绕周身运行,靠的就是血压。一个人血压适度高些不是坏事情,当然高过了头也不行。低血压才是可怕的,像早些年国产的汽车,总是打不着火。

气节这个词是说个人的,指一个人做事的原则和规范。风气是说社会的,指一个区域的原则和规范。看一个区域领导的水平,不用和他见面,看当地的风气就够了。一个地方的最高长官就是一个人的大脑。大脑和心脏协商,通过气血的运行确保四肢及身体各器官负责任地工作。大脑和心脏怎么协商?每个人都不一样,有人气亏些,有人血亏些。但总的来讲,大脑是占上风头的。比如思想这个词,心做着基础工作,但成果归大脑。再比如,动脑筋要宽一些,小心眼就窄多了。走进一个陌生院子,见一个人手脚费劲地比划着走,并且眼斜嘴歪着打量人,你会立即得出结论,这是个脑瘫患者。一个地方社会风气不好,寻根的话就会找到领导者那里。社会风气的传统说法叫民风,民风是多棱镜,折射的面很多,不仅照世道,也照官人。官本位也是伤官人的,而且被照入镜子里的官人,多数都是赤裸裸的。

正信

正信

  义,指理的最终结果。义不容辞,义无反顾,义本同心,情义无价,大义凛然,义愤填膺。这些成语里的义差不多都是一个意思。"五常"是仁义礼智信,"四维"是礼义廉耻,"四维不张,国乃灭亡"(《管子·牧民》),《金刚经》里,须菩提听了佛示之后,说的一句感慨是"深解义趣"。义是至高无上的理。趣同趋,找到了通往最高道理的方向。主义这个词,不是义的核心,是义的主航道。"敢犯颜色以达主义,不顾其身。为国家树长画。"(《史记·太史公自序》)

  正信,是迷信的基础上再上一个台阶。迷信是忘我地去相信。正信要清醒,要走出迷宫,要找到通往理的大方向。正信,也不是置疑那个层面,用怀疑的眼光看待一切,会出大问题的。迷信,再加上一份自信,离正信就不太远了。

  "信得过"这个词指的就是上一个台阶,仅仅觉悟了还不够,还要有所超越,要跨过去。远观一座山是欣赏，登上山顶也只是了解了梗概。走进山中，做山中人，才会真正认识一座山。认识领域里的跨越，不是高攀，而是往深里走，往具体里去。

信见，是正信之后有所见。以信见指导所为，才会积好一点的功德。这些大道理，都是我从书本上看来的，务虚而已。我试着结合一点实际，说一件迷信有所见有所为的事。

"文革"期间，西安的多条主要街道都改了名字。老城内的四条大街，东大街叫东风路，西大街叫反帝路，南大街叫反修路，北大街叫延安路。老城墙四个墙角向外延伸的四条主路，太白、太华、太乙、太岳，改为援越路、红旗路、燎原路、星火路。北关正街改为大寨路，阿房路改为大庆路。改名时是一窝蜂的，1979年恢复时也是一窝蜂的，但保留了大庆路和星火路，文史专家葛慧老先生对这两条路的记载是："有的说'农业学大寨被否定了，但工业学大庆没有否定'""据说是因为每个大城市都必须有一条星火路，反映国家的'星火计划'。"一个人的名字，是随人一辈子的。一座城市街道的名字，也是随着这座城市的。给一个小孩子改改名字没有什么，但给老人改名字可是大事情，给西安街道改名字，相当于给老人改名字。迷信行为的结果，一部分是苦果，一部分是恶果，一部分即是非驴非马。

义的主航道不在生活的表面，有点类似隧道，也不是通途，需要勘探，需要拨开迷雾，有时也需要破冰或者凿岩。

敲木鱼

和尚念经,是敲打木鱼的。鱼犯了什么错?要在殿堂上被敲打。

我猜就是缺心少脑。有心却不用心,脑子也是那么一点点,凭着那点聪明,就没深没浅地闯荡江湖,遨游大海。

一个人在婴儿的时候,腿也是盲目高蹈的,常常翘着,乱蹬乱踹。学会走路以后,腿渐渐平实下来。腿是承载人生重量的,风湿呀,寒腿呀,都是负荷之苦。人到中年,劳碌了一天,腿就灌了铅,回到家里,要放松一下才能睡个囫囵觉。人老腿先老,走不动路的时候,这个人的人生也就差不多了。

行路难,指的是一个人活一辈子不容易。不仅腿难,心更艰难。有一年我回老家,弟弟说:"你和贾作家在一个单位上班,替我求一幅难得糊涂的书法吧。"我问为什么要这几个字,他说总和同事闹意见。我说:"你这是糊涂造成的,还敢再糊涂?我给你写四个字：做明白人。"他又说："那你就写平常心吧。""你还不够平常吗？你现在缺的是上进心，用心去上进，多挣几个钱，养活老婆孩子是头等事。"弟弟还算听话，后来和同事团结了，收入逐渐好转，孩子也去重点中学念书了。"难得糊涂"和"平常心"是人生大境界之后才修的功课，豁达一点，忍让一点，不是难得糊涂。脾气好一点，也不叫平常心。小学不及格的人做博士后的题目没什么实际用处，做出了答案也是抄袭的。

　　拜佛是"上访"，是精神上访。老百姓是可怜的，政府解决不了，或不愿解决的缠头事，只好求佛帮忙，生儿子，上大学，找工作，家人平安，以及种种疑难杂病。佛是大领导，向佛诉诉这些苦衷，纵是一时解决不了，也落个心里宽敞。这是庙里的香火一天比一天兴旺的原因。佛的大，就在于倾听和接近百姓的疾苦和心声。应该出台一个政策，严禁政府人去庙里上访。再有一些配套措施，安排人在半路截住，让单位的上级把人领回去。如果有一个好事者，在佛前放一盘录音带，专录政府人抱佛脚时的"心愿"，播放出来一定生动有趣，可能还会有内幕和黑幕。

　　有事近佛不是敬佛，那种敬附带着条款。条款得不到兑现，会往佛头上著粪的。以心近佛是敬，心中发愿，做些助佛的大事和小事，让佛腾出手来，多做普度众生的工作。

觉悟

一个僧人觉悟了,还要不要继续修持?

一个老和尚说得实在:把欠的债还上了,还要挣钱过日子。和尚要不断地觉悟,久而习之,就成了佛。佛是朴素的,不是庙里供奉的那种样子,头上放光芒,脚底踩莲花。头上放射的光是世人的贪念,五彩斑斓的。脚下的莲花是世人的痴根,顽固的很。庙是人盖的,给佛盖好房子、做大雕塑,是求佛帮忙办事。

人有两个基本问题,饮食问题和男女问题。"饮食男女,人之大欲存焉",这是圣人孔子说过的话。老百姓也有一句话:"饱暖思淫欲,饥寒起盗心。"还有一句歌词:"起来,不愿做奴隶的人们。"起来干什么?就是造反。造反有理,解决饥寒问题。饥寒解决了,淫欲跟着来了,淫欲的另一种说法叫享受生活。享受是舒服的事情,怎么舍得放下?要设法保住,还要力争保全。于是庙就盖起来了,给庙里树立一尊像,叫佛,这个佛给穷人祛病，给官人升官，给富人开财路，给女人生儿子，让儿子考上名牌大学。因此，老人和孩子，富人和穷人，男与女，官与民都要去拜。世人是这样理解佛法无边的。

一个科长到局长家里送点钱，求个副处长的缺，叫跑官买官。这事一定要在私下里运行，一旦公开了，面子上难看，还会受惩罚。但去庙里可以公开干，烧几炷香，说，佛呀佛呀，我辛苦这么多年，给提拔个副处长吧。事情成了，叫佛光灵现，不花钱也办了大事。不成也不要紧，一个人给局长送了钱也不一定得到副处长的位置，重要的是好印象留下了，以后再找机会吧。

真正的佛不在庙里。

佛有十个名号：如来，应正等觉，明行圆满，善逝，世间解，无上士，调御丈夫，天人师，佛，薄伽梵。其中三个名号要注释一下，如来，即"无所从来，亦无所去"（《金刚经》），是佛本来就在这里的意思，你看不到是你修持得不够。佛是觉者，自己大彻大悟，又帮别人开悟。薄伽梵是译音，即世尊。念念这十个名号，就知道佛要做多少事情。要是人，早累死了，不累死也得烦死。

佛的核心是行，行到有功就是德。有一句话叫立地成佛，佛要站立着，靠打坐的方法成不了佛，打坐也成佛的话，电线杆子，门墩也是佛，老庙前的石狮子更是佛。方法得当，每个人都可以成佛。老树就是佛，生长了那么多年，披风沐雨的，不怨不嗔，而且不停歇地增枝叶，长果实，人们可以热天乘凉，雨天避雨，还可以呼吸到有益的空气。求清净不是佛行，佛不在深山的山顶上，佛渡众生，佛在人多的地方，在麻烦多的地方。求清净是省麻烦，实质上是一种贪，贪是佛经里讲的十恶业之一。

事情都是相对的，不是绝对的，都有局限，局限就是有边境。一个人做了坏事，普通人杀了人放了火，官人贪墨太多，上刑场前，呼念十万遍佛号，求佛保佑，如果佛真的管得了，佛也不是佛了。佛讲行，也讲戒。戒就是把不好的东西关门一样关在心里，一点一点去除掉。佛又叫世间解，解的就这么通俗实在。唐僧取经是伏魔的过程，这些魔叫心魔，不在外边，都在人的心里。《西游记》是一部励志书，写的是唐僧战胜自己的故事。

上边这些话是一个老和尚说的，我仅是恭录。

空指什么

空有两个方面。一方面是没有,另一方面是有。

以人为例。比如我们人的身体,男人英猛或猥琐,女人靓丽或丑态,如果没有灵魂,就是一种空。如街坊邻居说的那种话,瞧老赵家那个丫头,花容月貌的,就是缺心眼,可惜了的。有肉体,没有灵魂,就是肉架子。而有灵魂,没有肉体,更是空。设想一种念头或思维,幽灵一样半空里悬浮着,找不到承载的东西,没着没落的,那种空是无根的逍遥。

一个人才生下来,不过几斤几两重,几十厘米长短,所有的一切都是慢慢长大,一点一点充实。肉体和灵魂是很实际的,是一天一天增长起来的。肉体和灵魂也是相附相承的,浑然一体的。肉体高于灵魂,是邻里的笑料。灵魂高于肉体,也要格外注意,一个小孩子被称为神童,家长要特别留心孩子以后的成长。霍金是灵魂高于肉体的典型,极端的天赋人才，毕竟是极少数。

再以作家写作为例。一篇文章要"言者有言"，仅有精致的修辞，如庄子批评过的"言隐于荣华"，被文字表面的美遮住，这篇文章就是空洞的，相当于一个人缺心眼。但一个作家写作，如果一味的"政治正确"，也应该多斟酌斟酌。一个时代里的好政治，是针对现实的。是当时的，是及时的，也是一时的，世风里变得最快的就是政治。"跟风作家"最终的结果是跟不上的，像倒班车，追上了这趟，追不上下一趟。庄子提醒过，要防止"道隐于小成"。《金刚经》说得更严厉："一切有为法，如梦幻泡影，如露亦如电，应作如是观。"

空也是大有。天空里的东西很多，太空里更多。佛经里边的话叫真空妙有。空是更高一层的境界，是有待于人们去认识去发现的境界。有一种生活用品叫真空包装，真空，只是被抽走了气体，里边还存在什么？它凭什么让包含的东西较长时间不变化？人类对这个问题的认识，目前还很有限。

国画里的留白是一种空，音乐里的瞬间停顿是一种空，文学描写里的闲笔是一种空，这些空里都潜在着奇妙的魅力。

《西游记》是一本大书，给人物起名字也极具内涵。八戒叫悟能，是长点真本事的意思。孙行者叫悟空，要且行且思，要让自己的行为上境界，要有国画里的留白，要有音乐里的瞬间停顿，要有文学描写里的闲笔。吴承恩把孙行者定位为猴子形象，是生花的妙笔。一个人在世上走一遭，是综合地活着，仅会做些事情是远远不够的。儒家讲的"修为"那个词，"为"是一层意思，不断地修正所为是更深一层的意思。

本钱

和尚住的地方，叫寺，叫庙，通着似和妙。"寺既不住，住却不似。"寺庙的首长叫住持，叫方丈。方丈之所，住不过是持。

一个人进了山门，上了殿堂，对着那尊金身就是一通磕头。"佛呀，让我生个儿子吧。""我这身官司怎么办呀。""我副处长都二十年啦。"磕头的人心诚，却也不抬眼看看，正上方的是佛么？不过佛像而已。世上的事，看上去越是像那么一回事的，细究一下，却又不是那么一回事。似有似无，似是而非，妙在其中，妙不可言。寺庙是佛在人世间的办事处，这两个字的称谓，本身就透着禅机。

我念小学的时候，毛泽东主席的像特多，有雕像，有像章。雕像有整身的，有半身的，广场、机关、街道、学校，随处可见。像章就更多了，每户人家都有，铜质的，铁质的，瓷质的，还有竹质的。小的比小指指甲还小，大的比饭碗大。小的戴在胸前，大的挂在墙上。现在这些都不知道去哪里了，很难再找到。前几年我去哈尔滨，一个朋友约我去一个地方见面，打电话让我赶到"毛主席打出租的地方"。我问那是哪儿呀，他说出租车司机知道。司机把我拉到了一个广场，广场上有一尊高大的"毛主席挥手我前进"的雕像。那样的雕像，在我小时候，每个城市都有。

　　本钱这个词，有两层含义，外边的一层是钱，里边的核心是命。人活着，最舍不得往外拿的东西就这两样，其他的都是身外之物。钱不在身外，贴身装着，有的还拴在肋条上。命比钱稍重一点。一个人掉进河里，手是紧攥着钱包的。水淹过了脖子，双手才扑腾着喊救命。西安土话形容一个人老了，是怕死，爱钱，没瞌睡。排名也是命在前边。人老了，水落石出，本真的一面露出来了。

　　本钱是本命。身体是本钱，能力是本钱，年轻是本钱。一个人去经商，财富是本钱；一个读书人，学问是本钱；一个官人，位置和乌纱帽是本钱。看一个人的身份和水平，看他有多少本钱，还要看他怎么对待自己的本钱。有钱人恃财倨傲，是讨人嫌的。有学问的人一览众山小，一身"我劝天公重抖擞"的大气派，结果也是不言自明的。一个官人，不说人话，开官腔，说拼音字母，说aoe，神态拒人一里之外，更是人见人烦。本钱是大的东西，却是让别人敬重着好，自己别太当一回事。我听过的评价自己最了不起的话，是一个乡村老姐姐说的。很年轻时，她丈夫就去世了，她一手拉扯大三个孩子，又孝顺着年老的公婆。邻里推举她为"孝星"，报纸夸她是"当代节妇"，现在的报纸，胆子小，嘴却大，只要是无关痛痒的，什么样的话都敢说出口，"当代节妇"这个词，真能想得出来。这位佛心佛德的老姐姐说得好："我不是节妇，我就是他们家的看家狗。"

化和幻

化和幻两个字，老话里是这么解释的："穷数达变，因形移易者，谓之化，谓之幻。"

一个上岁数的人看自己的照片，童年的，少年的，青葱时候的，风华正茂的，人到中年的，两鬓已秋霜的，一张张照片都是具体的，真实的生命轨迹隐于其中。但因形移易，往事如烟如霭，有的历历在目，有的不堪回首。这个过程就是幻，像放幻灯片一样，幻处即真，真处亦幻。

气字的旧写法为"氣"，气象万千，但米谷在下边做着基础。一个人活着，气色好，有生气，有正气，或活得发达了，生出大气象，形成大气场，都是离不开五谷杂粮的。正气有两个要素，一是食人间烟火，再是从具体中超脱升腾起来。用《红楼梦》里的话说："聚而成形，散而为气。"

化是动态的。量化，转化，融化，进化，潜移默化。化是有原则的，有一门基础科学就叫化学，是研究量变到质变的规律的。化也复合多元，佛经里讲命有"四生"，胎生和卵生是众生常态，比较特殊的生态是湿生和化生。湿生是魔鬼道，蚊子、苍蝇一类，是恶业行经的归宿。化生是大境界，蛹成蝶，俗化仙。普通人死了叫逝世，皇帝叫驾崩。但大和尚叫坐化，神仙皇帝叫登遐，登遐就是入化境。

如今正逢高谈文化的年月，高谈好，高谈出阔论。但高谈里要区别出奢谈和空谈，奢是大者，重排场与铺张。"奢者，侈靡放纵之义，故曰张。"空谈是夸海口，练嘴唇功夫。文化不是简单的事情，不是用先进文化传统文化就能概括得了的。文而不化不叫文化，读一肚子书，如果转化不成能量发扬出去，是把书糟蹋了。文化的重心在如何化上，人人学数学，有人去造航天飞机，有人做了村里的会计。文化不是形象工程，不是面子活。前些年有一句政府口号，是大庭广众公开讲的，叫"文化搭台，经济唱戏"，这话听着实在别扭，像不守规矩人的口气。中国老百姓过日子最反感说一套做一套，坊间的话叫挂羊头卖什么什么肉。

什么样的朴素什么样的爱

爱的实质,是对自己的制约。

爱这个,爱那个,爱东,爱西,不爱红装爱武装,是一种选项,是排它。爱科学,爱艺术,是给自己预定了一个方向,也是规划了一条道路。博爱不是贪,是对自己多加约束,要更多的担当责任和义务。要特别留心爱自由那句话,自由不是放纵,自由的上限是不由自己,公众的利害要放在首位。狗见了骨头控制不住嘴里的涎水是狗的短处,狐狸过于爱惜自己的皮毛是狐狸悲剧宿命的源头。当了官爱钱是正当的,不爱钱,没有经济头脑怎么给百姓谋福利。但把钱过多的装到自己兜里就不妥了。

朴是未履刀斧的原木,是树。树做了家具朴就被肢解了,仿旧家具是更深一层的华丽。素是本色,是游人没有动过手脚的山泉水。素面朝天不是一张脏脸,而是放弃了乔装打扮,唯大英雄能本色。朴素是天真,是本分。老词里是这么概括朴素的:"无刀斧之断者谓之朴""敦兮其若朴""静而圣，动而王，无为也而尊，朴素而天下莫能与之争美"。

朴素是放松的，爱是苛刻的，这两种东西又都是大的，大到什么程度呢？"惚兮恍兮，其中有象；恍兮惚兮，其中有物。"这个恍惚不是捉摸不定，是心地光明，是飘然自在，但更是踏实，缺少了踏实，朴素和爱容易走形。

说一件平凹主编的琐碎事。多年前，我随平凹主编去北京大学讲个课，他的话题是中国文学要多包容中国传统元素。这样的题目当年很少有作家讲，都使劲说开放呢。他讲课的屋子能容纳五六百人吧，记得过道里站满了人，他坐的椅子两侧的台阶上坐着人，门外也有人，讲到有点意思的时候，屋里人一鼓掌，门外人就敲玻璃，后来来了几个保卫，可能误以为闹事呢。晚上回到住处，是由留学生宿舍改造的招待所。屋子窄，两张床一条桌子，人在里边要侧着身子走。平凹主编躺在床上，说他当年在西北大学读书时的一些旧事，吃不太饱，穿不太暖，一条薄被子冬天里要弓着身子睡。由睡觉说到了气味，万物都是各自洋溢其味道的，马圈里是马味，牛棚里是牛味，鸡舍里是鸡味，男生宿舍里是原生态小伙子味。说着说着，他忽然抬手指着对面的墙："那是个什么东西？"在昏暗的灯光下，墙临界天花板的地方有一个圆形的小东西挺显眼。"不一定是公家财物，劳驾副主编取下来。"我个子高一些，搬出凳子，架在长条桌上，很费劲的抠下来一看，是个塑料的虎头，是如今超市里地摊上比较常见的那种小装饰品。他接过去认真审视了一番，起身去卫生间洗了，又用纸擦干净，小心地放在床头柜上。我问他你准备干什么，他说进一趟北京城，给女儿带个礼物呗。他接着补充说："三四岁的孩子，给月亮，给地球，不也是拿着玩么。是我先看见的，你可别争。"返回西安的途中，我差不多笑话了他一路。但从这件事中，我得到了一个启发：爱孩子，能够讲分寸是不太容易做到的。

旧砖与新墙

师和傅

傅的本意是打基础的老师。《礼记》里的规则是："人生十年曰幼，学""十年，出就外傅，居宿于外，学书计"。一个人长到十岁，要送到老师家里念书，且是寄宿制。现在的小学生入学是七岁，以前也有早的，董其昌写袁礼卿（明朝兵部尚书）"七岁就外傅，受《毛诗》，又受《礼记》"。还有较晚的，袁枚《子不语》是志怪小说集，功力不在蒲松龄之下，但更玄乎。其中写一个寡妇的儿子，因家境不顺畅，才"子年十五，就学外傅"。师在傅之上，不仅授知识，还明事辅人，是一辈子要敬的，师徒如父子。国师，是皇帝的参谋长。以前讲究的人家，屋里都设祭"天地君亲师"的牌位，这个师指孔子，孔子是万代师表。师还是军队编制，护家卫国，"五人为伍，五伍为两，四两为卒，五卒为旅，五旅为师"（《周礼》）。师和傅都属重量级，三公有太师太傅，九卿有少师少傅。

《礼记》是一本讲规矩的书，讲我们中国人该怎么样守规矩。人与天地神明的规矩（日月星辰，五行交错与四季轮回，以及诸神即位的奉祭），人与社会的规矩（君臣秩序，四方纲纪，典章法度），人与人的规矩（生老病死，婚丧嫁娶，家事国事天下事），规矩明细了叫礼数，其间的礼数都是很具体的。社会规矩的总合叫礼，礼是中国人的宗教，老话称"以礼入教"。因为礼的因循存在，社会秩序才澄明，教化有致。送礼这个词，指的是送去规矩。送礼不是乱送的，也不是多多益善，更不宜乱收，乡间有一句土话："送人一斗米是恩人，送人一担米是仇人。"现实版的例子是，陕西一位领导，收了为数可观的名手表，由表哥而表叔，大麻烦就出来了。

　　上个世纪初，有一句口号叫"打倒孔家店"，把孔子牌位给砸了，把旧礼数也砸了一些，但下手干这些事的，多数是懂其中规矩的人，因此出手还讲究点分寸，失手是失手了，但还不算太狠。上世纪六七十年代，有两句口号："破四旧"和"批林批孔"。把林彪和孔子放一个筐里批判，真够创新的，成了划时代的笑话。四旧是"旧思想，旧文化，旧风俗，旧习惯"。"破四旧"是"文化大革命"，那场"革命"是彻底的，把该砸的不该砸的，全部打翻在地砸烂，还踏上无数只脚。我好瞎琢磨，净想些扯不着的，比如有三个小问题：1979年之后，我们用三十多年时间实现了经济大进步，但这些年，中国人传统行为里善良淳厚的那些东西随风消逝了多少呢？如今我们是世界经济的老二，但中国人行为方式的声誉也排在老二的位置吗？乡下人盖房子，重视打地基的。旧秩序被砸烂之后，用"学雷锋""五讲四美三热爱"这番略有简陋之嫌的新道德，能支撑得住广厦千万间吗？

　　《礼记》这本书，我挺爱看的，上边这堆话，是我边看边随手记的东西。

致中和

真正的和,是心物不分,浑然一元。

和是中庸之道。"喜怒哀乐之未发,谓之中;发而皆中节,谓之和。"和不是一股脑的和和气气,不是引而不发,而是"发而皆中节"。中节,应当什么就是什么,喜则喜,怒则怒,为所欲为。但这个为所欲为是道之上的所作所为。旧朝代里的一些昏君昏官,连做人的基本道理也不去弄懂,那种为所欲为,是下三滥,是胡作非为。这类行径,新时代里有没有我不敢乱说。

"和者大同于物"。和,已经跨越了标新立异那种阶段,不求神通或通神,而是把心念空掉,忘知守本。一个人到了真正的高境界,就如常守常了。

和,守着天地法则,守大规律。

今年冬天,在最冷的时候,我在呼伦贝尔草原上住了五天。那里的冷是纯粹的,是实实在在的。晚上气温在零下40℃以下，屋内屋外的温差在60℃以上。人走出屋子，几分钟之后，黑眉毛就变成了两抹白霜。呼伦贝尔草原一年中有两个主色调，草色和雪色，每年晚春时节，往往是雪没有融干净的时候，草就青青的长出来了。草一黄，雪又铺天盖地地下来了。冬天的呼伦贝尔银装素裹，天地寂寥，一望再望三望仍无涯。那里没有雪花，雪在半空中就冻成了细小颗粒，这应该是天意，落在地上不易板结，马羊牛可以轻松地蹚开雪找草填饱肚子。

　　牧户在雪原上是照常放牧的。我这次到了一个牧户家里，方圆几十公里，只此这么一家。大概有三四百只羊，二十多匹马，还有一些牛。我此行最大的收获是知道了草原上的动物们在冬天里是怎样生活的。放牧的时候，马走在最前头，长腿蹚开厚厚的积雪搜吃草尖，马品性高雅，只吃草尖。羊群相跟着来了，甩开小腿脚踢踢腾腾着吃草的中部。打扫战场的是牛，牛偃，但老实，剩下什么吃什么。牛不会蹚雪，没有马羊开雪路，会饿死的。天意，比科学更科学，马羊牛在冬天的草原上，就这么和谐着过日子。我们老祖宗说得真好——和为贵，"致中和，天地位焉，万物育焉。"

　　哈佛大学政治学教授亨廷顿让自己成为著名人物的理论是"文明冲突说"，基本观点是，"不同文明之间的冲突不仅持久，而且难以调和。"这种世界观的危险之处，在于使强盗逻辑成为一种正常存在，也为美国人在中东国家不断动粗耍横，以及重返亚洲滋生事端找到了理论依据。

敬礼

礼是规矩。敬礼，是对规矩有诚心，生敬意。

普通人遵守规矩是一个人的大事，君王守规矩是一个国家的大事。《礼记》和《左传·昭公九年》里均记载了一件劝谏君王守规矩的旧事，《左传》是史书，只扼要记事，不陈情。《礼记》里的描写则鲜活生动。

这件旧事涉及五个人，晋平公，晋国之君。荀盈，晋国老臣。师旷，晋大夫，大音乐家，盲人。如今的音乐，用于娱情娱乐的多了，在古代，主要应用于国体国仪，诸如祭祀，军队出征，田猎（天子及诸侯一年田猎三次，具体名称叫春搜，秋狝，冬狩，夏季是农忙期，停止田猎。"无事而不田，曰不敬，田不以礼，曰暴天物。"）等。以前的乐官，是重臣。李调，近侍，相当于晋平公办公室主任。杜蒉，晋平公的厨师长。

老臣荀盈去世了，尚没有下葬。晋平公在寝宫饮酒，师旷、李调侍坐，且击钟奏乐。杜蒉听到钟乐声,疾步跑进寝宫,"历阶而升",一步两个台阶。进殿后,先斟满一杯酒,请师旷饮,又斟一杯酒请李调饮,第三杯斟满,自己坐正身子,面向北一饮而尽。三杯酒之后,起身向外走。

晋平公叫住杜蒉,说:"我看出来了,你刚才的行为,寓意是开导我的。你为什么让师旷喝酒?""子曰卯日是商纣和夏桀的忌日,君王在这两天要警醒自己,是不能饮酒取乐的。国之重臣居丧未葬的特殊时候,比这两个日子更重要。这些老规矩师旷大人是知道的,因此我罚他一杯酒。"

"你让李调饮酒的原因呢?"

"李调大人是您的近臣,您的'一饮一食',都不该'忘君之疾'。"

"你自己又为何饮呢?"

"我只是个厨子,越职劝谏君王,干涉国家大政,我该自罚。"

晋平公说:"我也有过错,给我斟满一杯酒。"杜蒉把酒杯洗了,斟满一杯,高高举起献上。晋平公饮毕,对左右说:"即使我死了,也要把这个酒杯保存好。"这就是"杜举扬觯"典故的由来。

晋平公被誉为明君,功在长于纳谏,用老百姓的话说叫"吃劝"。还有两个名典故,都跟师旷有关,一是"炳烛之明"。晋平公问师旷:"吾年七十,欲学。恐已暮矣。"师旷回答。"少而好学,如日出之阳;壮而好学,如日中之光;老而好学,如炳烛之明。"另一个颇具戏剧性,一天,晋平公宴请群臣,估计喝高了,便口无遮拦着感叹:"当君王好呀,他的话没有人敢违抗。"话音才落,师旷抄起案上的琴就飞砸过去,晋平公一闪身,琴撞在墙上烂了。晋平公问:"太师,你要砸谁?""刚才有小人在我边上胡扯。""是我呀。""那这种话不该是人君说的。"左右要治师旷犯上之罪,晋平公当即制止,并且说:"我今后要以此为戒。"

我们中国以前自诩为"礼仪之邦",这话没错,因为规矩具体,礼数清晰。后来对礼失敬,诸多规矩被当成"四旧"砸个稀巴烂,大的规矩失于朝野,摆不上台面的潜规则就冒出来了。再这么说,就有点自炒之嫌了。

静雅

静和雅这两个字,要认识它们的本来面目。

"归根曰静",是老子的话,他还说,"致虚极,守静笃"。根是生命之本,也是动力之源,怎么去守?树根在下边,在厚土里。百年大树是怎么守它的根的?人的根不是脚,脚是工具。小孩子才生下来,腿脚是翘着的,接下来重要的事情,是学会使用这个工具,迈出人生的第一步,之后再脚踏实地地走完茫茫人生路。生殖器叫尘根,也是工具。人的根在上边,在脑子里,叫"精神"的那种东西。中药里有"六神丸",含意是人的心肺肝肾脾胆各有命官。人拿不定主意,手足无所措的状态,叫六神无主,指的是六神均在,但缺乏一个定乾坤的统帅。人的精神是统帅一切的,但精神是虚的,"致虚极",具体化之后,俗称思想。

孟子给"精神"是这么定义的:"可欲之谓善,有诸己之谓信,充实之谓美,充实而有光辉之谓大，大而化之之谓圣，圣而不可知之之谓神。"

静不是傻待着，不是什么都不干。静里有内涵，有指向，也有目的。

鸡孵卵是一种静，虎舔犊是一种静，火箭发射前的倒计时，还是一种静。大山是静的，山上有树，山里有人家，山下有矿藏。深海是静的，但波涛在深层次里汹涌着，海边的浅滩才浪花飞溅。一个和尚在庙里静坐，是修行，修正自己的所思所行。

辛弃疾有一句诗，说透了静的态度："须知忘世真容易，欲世相忘却大难。"一个人回避社会，躲进小楼成一统，是容易的。当社会把一个人当回事了，这个人仍不把自己当回事，心就大静了。

雅，不是干面子活的意思。正大为雅，在古代，雅是朝廷术语，雅言是官话，相当于今天的普通话。雅乐是君王举行大典时的音乐。雅量是大的酒具，雅兴是难自控的情怀。《诗经》分风、雅、颂，雅105篇，分大雅和小雅。大雅里多数是政治抒情诗，针砭时政，感世伤时。小雅里多为普通人的实际遭遇："行道迟迟，载渴载饥。我心伤悲，莫知我哀！"

雅也指标准。《尔雅》是中国第一部词典，收录词语4300多个，不仅释词，还释事物。"木谓之华，草谓之荣，不荣而实者谓之秀，荣而不实者谓之英"是释草，"水注川曰溪，注溪曰谷，注谷曰沟，注沟曰浍，注浍曰渎"是释水。《尔雅》是大典，是十三经之一。 雅从"牙"从"隹"，是咬文嚼字，尔通迩，尔雅的意思是走近标准。云里雾里那一套不是雅，不食人间烟火更不是雅。雅这个词，让雅俗共赏和温文尔雅两个成语弄单薄了。

静和雅这沉甸甸的两个字，在现代生活里，都被瘦身了。

标准和榜样

标,从木,指一棵树在远处也能清楚看见的部分,本意是树梢或树冠。树梢衍指表面化,中医说的"治标不治本",取的是这一层内容。树冠引意为目标,标识,还有靶子。显眼了就是榜样,但过于显眼了,就成了众矢之的。据此又演变生发出一堆词,路标,商标,标语,标题,标兵,标价,投标,中标。自我表彰叫标榜,友谊赛之外的叫锦标赛。

"準"是准的旧写法。隼是猎鹰,是鸟的领袖。"冫"表示冰冻和凝结。準的原意是目标锁定。《说文》是这么释义的,"準,平也""水平谓之准"。这是俗话"一碗水端平"的由来。準是动态的。鹰锁定了猎物,但猎物是活的;水平面也不是静止的。准有已完成和待完成两层含义。以前的皇帝一言九鼎,惜字如金,对大臣的奏折满意了,在折子的眉角处批复一个准字,这是准奏一词的起源。准生证,准将,时刻准备着，这些都是未果的词，重要的东西正处在酝酿启动之中。

标准是兼容型的，但制式化。如果把标准比做服装店，里边摆放的都是制服和工装。在那里边，个性是被剔除的。在标准的内部，除了制度，条陈，原则，法规，以及规范之外，还有带头人。这个带头人也没有个性，叫榜样。榜样的力量是无穷的，但产生的副作用也不可小觑。"楚王爱细腰，宫人多饿死""纣为长夜之饮，通国之人皆失日""东施效颦"这三个老话题不必多说。再比如学模范这件事，有学得好的，有学得不太好的，还有装样子学的。标准一旦出笼了，或出台了，就成了指南，但也可能成为借口和工具。罗素从另外的视角看这个问题："事实上，我们有两种道德并行，一种是我们倡导的但并不去实行。另一种是我们日常实行的却很少去倡导。"老子反对给人的行为设定标准，他有两句著名的话："不尚贤，使民不争；不贵难得之货，使民不为盗；不见可欲，使民心不乱。""大道废，有仁义；智慧出，有大伪；六亲不和，有孝慈；国家昏乱，有忠臣。"

忠臣孝子是高耸的榜样，但也含着另一层潜台词。一个人成为孝子，他父母的健康是失常的，再如果这个人不是独生子，那么其他兄妹的行为是该检点的。乱世见忠臣，这是老话。忠臣浮出了水面，要么是国家局面出乱子了，要么是皇帝个人遇到麻烦了。

老子生活在春秋向战国的过渡时期，属转型时代。社会转型时期，人心是浮躁纷杂的，也是短视的。"春秋二百四十年之中，弑君三十六，亡国五十二，细恶不绝之所致也。"（董仲舒《春秋繁露》）。"细恶"不是大恶，是小恶。小恶都是短视惹的祸。"细恶"不断积累，滴水戳穿了石头。老子的价值观，是在这样的社会气氛下形成的。他还有一段话，既形象也高远："有无相生，难易相成，长短相较，高下相倾，音声相知，前后相随。"如果以这样的思路去理解标准和榜样，许多僵硬的东西就生动鲜活起来了。

清谈和清议

清议始自魏晋，是用官制度，是早期的"民选"。"以品评升降人才，再由吏部录用"。

"乡论清议"不同于今天的民意测评，不是形式层面的，是一项硬指标，是对一个人为官的公论，乃至是定论。孝武帝司马曜即位那一年（372年）大赦，诏书明确规定，"犯乡论清议，脏污淫盗"者不在赦免行列。清议的核心内容为"孝行，仁恕、义断"，只拘囿于儒家的伦理道德，有些窄，讲德政，不讲才政。孝行居首要，元帝大赦条文里还特别申明："其杀祖父母父母，及刘聪石勒，不从此令。"刘聪和石勒是北方少数民族的首脑，刘聪是十六国后汉开创人物，石勒是十六国的后赵皇帝。孝行与民族矛盾等位对待，孝行是做人的基础，却上升成了盖头，成了国家大事。曹操杀孔融，借的罪名也是不孝。《三国志》的作者陈寿"两遭清议，以致终身坎坷"。具体原因是:"父丧中有疾,使婢女制丸药……葬母于洛阳,未归葬于蜀。"鲁迅提到过一个细节,"魏晋时,对于父母礼是很繁多的,比方想去见一个人,在未访前,必先打听他父母及其祖父母的名字,以便避讳,否则,嘴上一说出这个字音,假如他的父母是死了的,主人便会大哭起来——他记得父母了——给你一个大大的没趣"。东晋末南朝初,事实上清议已名存实亡。"倚靠王权,王权支持并可左右清议。"西晋名臣傅玄给晋武帝的一份上疏中,评点的是魏朝事,却也预言了清议的结局,"其后纲维不摄,而虚无放诞论盈于朝野,使天下无复清议"。

　　清议这一政策好,可惜过于片面和高调。历史上乱而无序的朝代,都是政策差劲,或政策走了板或失了形。

　　清谈也说成谈玄,兴起于魏正始年间,是当年的时尚世风,相当于今天的"侃大山"。清谈并不是乱谈,核心话题围绕着三本书:《易》《老子》《庄子》,不涉时务,摒弃俗事。有无,生死,动静,以及天伦,物理,名教,自然。天高地远,不着边际。能清谈,并且有闲功夫清谈的都是名士,谈吐闲雅,谈姿却不拘也不雅,彻夜谈,嗑药谈,酒后谈,裸谈,扪虱谈,这些均在美谈之属,是名士派头。有一点须强调说明,清谈代表着当时的学术水准,也烘托着那一时期的文风。

　　文风的土壤是政治气候。自曹操开始的"尚刑名",文治峻严,拨乱反正的有些过头。"乡论清议"又是一座窄桥,很多人过不去。"功名不可为,忠义我所安。"一块大石头在田野里,碰巧石头下边有一颗树种子,是种子就会发芽,但才出地面,迎面就是石头,树苗就顽强地贴着石头的一侧长起来了。黄山的迎客松如果长在平地上,或河边,而不是长在山腰处,肯定也不是那副模样。

读文件

　　读文件我在行。单位里开会，有念文件的事，我都去争取。因为我定力不太够，听别人念，我坐不住，有时候还犯困。让我争取到嘴的，不管重要不重要，我一概很认真地对待，再冗长乏味的文字，中间不喝水，不清嗓子，也没差着行念过。单位里念文件这种学习方法，据说是从战争年代保存至今的，是当代传统。当年部队里官与兵识字的不太多，上级有重要的文件发下来，找读过书的人念一遍，大概意思就清楚了，之后再组织一两次讨论，目的是把文件的要点记住。习惯都是养成的，这话说得一点不错。

　　文件是公文，是给公众看的。私人看的叫信件，一个人写信，怎么写都可以，鬼画符也行。只要读信的人愿意看，并且能看明白。公文是讲规矩的，只是这规矩是断代的，不沿袭，不传承。一朝天子一朝臣，一个朝代有一个朝代公文的写法，甚至在一个朝代里，因为皇帝换了，公文的写法差异也挺大。公文不是小事情，一个时代里，老百姓怎么过日子，是民风的基础。公文写成什么样子，是文风的"发源地"。用时尚的词说，民风是通俗文化，文风是高雅文化。民风与文风糅合起来，新鲜的时候叫时代气息，过一百年之后，水落石出，就叫时代烙印。

看一个朝代的文风，是朴实的，还是浮夸虚饰的，看看当时的奏章、圣旨、律条、讼状，以及史官的文字，基本上可以看出梗概。夸一个作家，最了不起的"授奖辞"，是说他"得风气之先"，或"开一代文风"，意思是说他和这个时代的文风不太一致。

最早的公文是甲骨文，也是笔法最简练的公文，是真正的"寓繁于简"，那种简练，那种高浓缩的文字是迫不得已，因为要刻在龟背和兽骨上，受"硬件"限制。那时候"卜辞"也是公文一种，巫师是精神领袖，是宫廷文官。卜辞是深奥难懂的，是天书，国君也读不懂。"卜辞"头上的那一层雾水，是巫师的饭碗，人人一眼望穿的话，巫师就没饭吃了。

秦朝的文风杂芜，也可以叫风格多样化，那种不成形和不定型，源于那一时期文化的重头工作是统一文字。汉代的文风是了不起的，尚儒，又朴实大气。"汉兴之初，反秦之敝，与民休息，凡事简易，禁罔疏阔。"《史记》和《汉书》是汉代文风的代表，均是天赐的大手笔。《史记》就不用说了，《汉书》开卷第一篇第一段就很有那么一点"浪漫主义"："高祖，沛丰邑中阳里人也，姓刘氏。母媪尝息大泽之陂，梦与神遇。是时雷电晦冥，父太公往视，则见交龙于上。已而有娠，遂产高祖。"对班固老爷子不服真不行，确实不同凡响。写刘邦妈妈的外遇与神交，是他爸爸亲眼见的。真正的春秋笔法，证据"确凿"，有谁胆敢不相信，请去问高祖的爸爸。

魏晋重文采，讲形式与手艺，公文多是"才情并茂"的。到了唐朝，"文起八代之衰"，倡导古文的朴实之美，去魏晋的骈俪气，"文采不宜伤叙事"。元代重视祭祀，这类文字留下来的多，读着开阔也传神。领导人重视什么，一个时期就风行什么。元代"曲"盛，曲高但和者不寡。元代的国家特征是打天下，不在治天下，有浪漫的精神气质。遥想当年各级大汗们，开疆拓土，威风马上。将士们也要有业余生活的，蒙古族人于歌舞是内行，军民联谊，"曲"的基础是牢靠的。

清朝的文化贡献多，劣的贡献是文字狱，好的贡献是《康熙字典》和《四库全书》。编出好字典的朝代是大朝代。《康熙字典》1710年开编，1716年成书，收汉字47035个，主持人是张玉书、陈廷敬。《四库全书》从乾隆三十八年（1773年）二月正式编修，历时二十年，1793年收工，是中国历史上最大的"文化工程"，收书3500多种，79000多卷，近10亿字。由纪晓岚、陆锡熊、孙士毅为总纂官。《康熙字典》和《四库全书》是集大成,是两座大仓库,一是字库,一是文库,至今仍是文化上的骄傲,"康乾盛世"不是空口说着玩的。元代与清代都是少数民族主持国家政体,蒙古族治元朝,满族和蒙古族合营治清朝。清代存在的时期长,对文化的高度重视恐怕是原因之一。十多年前,我曾有过一次难得的机会,"借机"翻阅过一个月的清代婚姻刑案的卷宗。用现代的观点去看,有些结论多守旧礼而违天理,有些还特滑稽。但文笔谨严,案件的叙述简约清晰,一宗案子,几百个字就交代清楚了。我们如今的公文实在不好意思去恭维,套话、虚话、空洞的话蔚然风行。我曾朗读过一个"植树"的文件,文件核心讲的是为什么植树,植树的意义,环保,以及做人的情操修养,青年人的成长,贯彻精神等内容,高屋建瓴,上纲上线。但要把树种活的字却是一个也没有。

  古文今译也是如今太糟糕的一种文风。这种事我们也做,台湾那边也做,但严谨去做的太过寥寥。一句古文几个字,却"译"出几十个字。《四库全书》要这么译一家伙,我们就实打实进入了"知识爆炸"的时代。

  现在看"文革"时期的报纸和文件,直觉是可笑的地方多。一个人活到可笑的地步是悲哀的,一个时期的文风如果让人可笑,是更大的悲哀。不知道再过一百年,后人怎么评看我们这一时期的公文。

大实话

纪晓岚的《阅微草堂笔记》是写身边事眼前事的,但小题大做,片羽吉光,一羽飞鸿,且心宽眼亮,笔法也自成一格。选两则札记,一为官场风气一种,再是兄弟失和。

有旧家子,夜行深山中,迷不得路。望一岩洞,聊投憩息,则前辈某公在焉。惧不敢进,然某公招邀甚切。度无他害,姑前拜谒。寒温劳苦如平生,略问家事,共相悲慨。因问:"公佳城在某所,何独游至此?"某公喟然曰:"我在世无过失。然读书第随人作计,为官第循分供职,亦无所树立。不意葬数年后,墓前忽见一巨碑,螭额篆文,是我官阶姓字;碑文所述,则我皆不知,其中略有影响者,又都过实。我一生朴拙,意已不安;加以游人过读,时有讥评;鬼物聚观,更多姗笑。我不耐其聒,因避居于此。惟岁时祭扫,到彼一视子孙耳。"士人曲相宽慰曰:"仁人孝子,非此不足以荣亲。蔡中郎（蔡邕）不免愧词，韩吏部（韩愈）亦尝谀墓。古多此例，公亦何必介怀。"某公正色曰："是非之公，人心具在；人即可诳，自问已惭。况公论具存，诳亦何益？荣亲当在显扬，何必以虚词招谤乎？不谓后起胜流所见皆如是也。"拂衣竟起。士人惘惘而归。

有陈至刚者，其妇死，遗二子一女。岁馀，至刚又死。田数亩、屋数间，俱为兄嫂收去。声言以养其子女，而实虐遇之。俄而屋后夜夜闻鬼哭，邻人久不平，心知至刚魂也，登屋呼曰："何不祟尔兄，哭何益？"魂却退之数丈外，呜咽应曰："至亲者兄弟，情不忍祟；父之下，兄为尊矣，礼亦不敢祟。吾乞哀而已。"兄闻之感动，詈其嫂曰："尔使我不得为人也。"亦登屋呼曰："非我也，嫂也。"魂又呜咽曰："嫂者兄之妻，兄不可祟，嫂岂可祟也！"嫂愧不敢出。自是善视其子女，鬼亦不复哭矣。使遭兄弟之变者，尽如是鬼，尚有阋墙之衅乎？

纪晓岚冷眼看世事，但心是热的。文风也朴实，笔下全是老百姓的大实话，不扭捏文人腔，不高瞻远瞩地提升境界，更不乾隆爷长乾隆爷短的。一个文章，百年之后再读，仍然新鲜，仍不过时，就应了那句俗话——文章千古事。

神话与鬼话

神话与鬼话,都是人说的。抄几个老段子,语出袁枚《子不语》。

秦中太白山神最灵。山顶有三池,曰大太白、中太白、三太白。木叶草泥,偶落池中,则群鸟衔去,土人号曰"净池鸟"。有木匠某坠池中,见黄衣人引至一殿,殿中有王者,科头朱履,须发苍然,顾匠者笑曰:"知尔艺巧,相烦作一亭,故召汝来。"匠遂居水府。三年功成,王赏三千金,许其归。匠者嫌金重难带,辞之而出,见府中多小犬,毛作金丝色,向王乞取,王不许。匠者偷抱一犬于怀辞出。路上开怀视之,一小金龙腾空飞去,爪伤匠者之手,终身废弃。归家后,忽一日雷雨,下冰雹皆化为金,称之,得三千两。

李相公光地未贵时，祈梦于九龙滩庙。神赠诗一联云："富贵无心想，功名两不成。"李意颇恶之。后中戊戌科进士，为宰相，方知"戊戌"两字皆似"成"字而非"成"字，"想"字去"心"，恰成"相"字。

芜湖张姓者，卖腐为业。其妻孕十四月，生一麒麟，圆手方足，背青腹黄，通身翠毛如绣，左右臂有鳞甲，金光闪闪。坠地能走。喂饭能食，好事者以为祥瑞，方欲报官，而是晚死矣，距生时只七日。

绍兴郑时若秀才妻卫氏，生一夜叉，通体蓝色，口豁向上，环眼缩鼻，尖嘴红发，鸡距骆蹄，落胎即咬，咬伤收生婆手指。秀才大惧，持刀杀之，夜叉作格斗状，良久乃毙，血色皆青。其母亦惊死。

山东于七之乱，人死者多。平定后，田中黄豆生，形如人面，老少男妇，好丑不一，而耳目口鼻俱全，自颈以下，皆有血影。土人呼为"人面豆"。

隐仙庵有狐祟人，庵中老仆王某，恶而骂之。夜卧于床，灯下见一女子冉冉来，抱之亲嘴。王不甚拒，乃变为短黑胡子，胡尖如针，王不胜痛，大喊。狐笑而去。次日，仆满嘴生细眼，若猬刺者然。

带些人味的神话与鬼话，纵然不足信，但给人警醒，也可以填闲做下酒菜。没有人味的神和鬼，让人敬而远之。如今去大街上，市面上走走看看，这类生物真是不少呐。

活力源

三阳开泰,具体指的是立春这一天。

泰是安定平和的大境界,《易》第十一卦是"泰卦",象为阴上阳下,辞为"小往大来",寓意挣脱束缚和困境,呈现盎然生机的面貌。"突破'器'的僵化,达到生的活跃"。

按旧历的计算方法,一阳从一年的冬至那天开始,阳气由地心向地面升发,《易经》里是这么讲的:"冬至之日,阳气初九,为天地心。万物所始,吉凶之先,故曰'见天地心'。"后人还有相应诗句:"一阳初动处,万物未生时""今日交冬至,已报一阳生。"二阳在小寒与大寒之间,处在中途半端阶段。到了立春,每年二月四日前后,阳气历经一个半月的缓缓行程,终于突破地表,重新覆盖大地。

我们中国地大物博,以前的旧历有六种,黄帝历、颛顼历、夏历、殷历、周历、鲁历,用得多的是夏、殷、周三历。这三种历法最大的区别在岁首的设置。周历以冬至所在的月(今天农历11月)为一年的开始,以一阳初动纪元。殷历的正月是今天农历的腊月。腊是祭名,这一个月里,有太多的天地神明要供祭。夏历的岁首即是我们今天的正月。读古书的时候,涉及到月份,用今天的习惯经常会遇到不可解之处,其中的原因不是古今气候变化大,而是著作者依据的历法有异,典型的是《诗经》,如《七月》那首民谣,是夏历和周历并用的;《正月》那首诗,依据的是颛顼历,正月不是今天的一月,是四月。

秦国乃至秦朝做了三件了不起的文化工作。一是统一度量衡,"车同轨"。再是统一文字的书写,"书同文"。三是统一历法。秦朝立国颁行《颛顼历》,每年的岁首是冬至前的一个月,即农历十月。一年之首也不叫正月,叫端月。汉初仍袭秦制,到汉武帝时候,颁行《太初历》,把岁首确定为农历一月。我们现行的历法是经由多个朝代逐步完善而成的。这三件工作的了不起之处在于树立了国家标准,泱泱大国,没有自己的标准是真正可怕的。我们现如今国运昌达,经济上是世界老二了,但这个排名标准是人家的,不止于此,金融、环境、教育乃至文学,太多的行当标准都在听命于人,这真是值得思量再思量的事。

秦始皇焚书坑儒的初衷是"行同伦",这件事他干得极差劲。不仅专政,而且专制。《礼记》里讲的"车同轨,书同文,行同伦",大秦把两件事办好了,一件事弄砸了。再说了,"行同伦",不是统一人们的思想意识,而是人们的行为要因循一个大的标准。意识那种东西能统一么?纸纵然包住水火也包不长久。今年春节七天假,兵马俑内外一如既往游人如织,门票收入极为可观,始皇帝给陕西后人预留了一个厚实的活期存折呢。

坊间言

坊间言是口碑。既然是口碑，自然就没有固定的屹立之处，如野草一样由风招展。

清朝的皇上里边，雍正爷的坊间言最盛最炽，篡取上位，滥杀兄弟，刑赏无序，喜怒无由，负面的占多数。依着这些言传，他不仅不是一个好帝王，连个好人也算不上。但雍正是有改革功心的皇帝，有奉守规则的一面，也有破法立法的一面，挺了不起的。抄几个有趣的小细节，给读者散散心。

他每天的膳食极简单，进什么吃什么，是倡导"光盘"的皇帝。"饭颗饼屑，未尝弃置纤毫。"和臣工们散步时，"从不以足履其头影，亦从不践踏虫蚁。"

重臣朱高安晚年政心淡了，几次具折称病奏退。雍正让内阁传口谕："尔病如不可医，朕何忍留；如尚可医，尔亦何忍言去。"朱高安"从此不复有退志"。

内阁有一位老勤杂，收管文书的，姓蓝，浙江人。雍正六年除夕，同事都已回家，他一人在京，家眷在乡下。过年了，一人对月自酌。"忽来一丈夫，袍服丽都，状甚丰伟，蓝疑为内庭值宿官，举杯相招，其人欣然就坐。"两人边喝边聊，老蓝人实在，问什么都实话实说。当被问到最大的理想是什么，他说："若运好，得选广东河泊所，则大乐矣。"又补充说："其近海，舟楫往来，馈赠多耳。"第二天早朝，雍正问大臣，广东有河泊所这样的职位吗？答有。曰"可特授内阁蓝某补授。"大臣们"不知蓝某为何人，共相疑怪"。这是雍正节假日微服私访中央后勤机关的例子。

雍正最大的政德是破除满汉之见，重用汉臣，讲民族团结，为清朝以后的稳定繁荣开了个好头。雍正也讲形式主义，当年的公检法部门，刑讯逼供是办案的常态，他手书"忠诚敬直勤慎廉明"八字方针，着各府衙木牓在堂上。模样大致和今天派出所正门墙上的"坦白从宽，抗拒从严"差不多。他这道手谕不太灵，雍正年间执法部门营私舞弊弄虚造假致冤致屈的事屡见不鲜。雍正爷爱听好听的话，喜欢被下级表扬，对反对意见持势不两立态度。但他万岁之后，各色不好听的坊间言就一块儿爆发了。

我抄来的这几个细节，也在坊间言之列，因为不是取自正史。正史，是一个国家的严谨历史，按道理说，并不承担政府形象美容师的工作。但有些朝代，史和志就兼职做化妆。在正史不可信不可取的时候，以坊间言为基础的野史才受人爱戴。

贾平凹记

给贾平凹的一封信

老贾：

知您在写新书，一个月前那封长信是盲目写的，十月二日听您聊到写的内容，以及您的一些想法，自制不住，再给您写一些我的听后感，也可视为上封信的继续。

说说我对"立场"和"观念"的认识。

先说立场。

看一个喝水的杯子，角度不重要，因为杯子规模太小，一眼可看穿，见到整体。看一个独立的房子，角度的重要性就显示出来了。从前边看，和从后边看是两回事，爬到房前的高树上往下看又是一回事。站在哪里看，哪个位置，就是立场。

看一座山与看一条河是不同的。山是静的，但四季有变化。河是每一刻都在流动的，但四季变化不大（北方的河除外）。看山，在山外看，和在山里看不一样。在山脚看,和在山顶看不一样。山里的居民与山外的游客对山的态度也不一样。看河,在岸上看,和在船上看不一样。横看与竖看也不一样。顺流看与上溯逆流看更不一样。水里的鱼,岸边的人家,以及孔子在"川上曰"的什么,各有各的立场。

看人生,看社会,比看山、看河还要复杂一些,但"立场"这个概念是相通的,不同的角度出不同的效果。

八十年代的时候,讲作家是"代言人",写农业题材,是为农民说话,写工业题材,军事题材,乃至教育题材,是为不同的行业说话,也就是说,站在不同的立场上。如今的时代讲"发言人"。代言人与发言人,一字之差,变化是不小的。教育部发言人,工业部发言人,商贸部发言人,乃至台湾事务办公室发言人,讲的虽也是"局部利益",但牵涉面宽了,是在全局的环境里讲局部利害。

经济学如今细化为两种,宏观经济学和微观经济学。宏观经济学指的是货币流通、商业流通影响到的物质与雇佣关系的基本原则,是大框架。是一个拳击台,台上有两个人在打,还有一个裁判,周围是看客,门口有人卖票。微观经济学指的是物价指数、商业周期,还包括商业运作手段。是拳击台上两个人怎么打?真打假打?裁判是否公正?周围的看客赌注怎么下?拳击场老板有无暗箱操作?这一阶段内人们对拳击的兴趣,等等。

宏观经济学是大的,微观经济学也是大的。区别在于看问题的角度不一样。市场经济和计划经济是宏观范畴。今天美国人带来的金融危机是微观范畴。市场与计划有规律,金融危机也有规律。

计划经济是社会主义的,市场经济是资本主义的。这个判断被邓小平推翻了。中国的发展实践也证明了社会进步并不是这么鲜明的一刀切的事情。还有一点,按以往的理论,人类社会是这么往前走的,原始社会—奴隶社会—封建社会—社会主义(资本主义)—共产主义。如今资本主义制度出了大事,全球金融危机,是资本主义走不通了?下一步是社会主义,还是共产主义?

如今我们社会主义初级阶段取得了成功,下一步是中级阶段,接下来是高级阶段?这是评职称的说法,到了高级怎么办?

上帝在哪里?人类的出路与未来在哪里?上帝快点燃神灯吧,因为美国人在往火星上走了,我们中国也在跃跃欲试。那是条必然之路?还是一条求生的路?火星是诺亚方舟吗?

具体到您的作品,八十年代您的一系列中篇小说,散文如《商州三录》,长篇小说如《浮躁》,是站在农民立场上的。那个年代您那么站是毫不犹豫的,但九十年代就迟疑了，进入二十一世纪，脚步更迟疑了。您站的地方没变，但您看到的东西变了。

先是《废都》《白夜》《土门》《高老庄》，尔后是《怀念狼》《秦腔》《高兴》再到《秦腔》，您对社会的看法、态度，一直在"摸着石头过河"。

《高兴》是变种，是大戏之间的"花腔"。

有一点我必须说出，因为是我的心里话。从《废都》到《秦腔》，我读到的都是"现场感""当下感"，是"现在进行时"，尚未读出"以后""今后"，没读出"预言"。

《红楼梦》是一部有预言感的书。但《三国演义》是一本讲"规律"的书。

中国的社会规律有两种：一种是"演绎法"，"三十年河东，三十年河西"，1919到1949是三十年，1949到1979是三十年，1979到2009是三十年，这三十年之变有目共睹。还有一种说法是"五百年出一真龙天子"，这其中的根据很神秘，依天象。

第二种规律是"归纳法"，秦皇汉武，唐宋元明清，中华民国，中华人民共和国，是时代更替，有始有终。

归纳法是宏观经济学，演绎法是微观经济学。

《三国演义》的"规律"在微观之列。

您于"易学"，于"神秘"，及至"天象""星徽"是有内修的，在写新书时，可否收敛于书内？

那天，您谈的多的是"土地"，讲土地政策，亦收，亦放，一放一收。讲的真是好，但其中也有些问题可以研究。

孙中山先生对中国最大的贡献在于"民"这个字，他的"三民主义"有开世之功。

在以前，中国的土地是皇帝一个人的。土是皇土，民是臣民，栋梁也是奴才。自中山先生之后，万象更新，民众盟生自主之愿，国名先是"中华民国"，继而"中华人民共和国"，尽管现在仍有些旧属之气，但云开了，光线照进来了，算一算，从中山先生提出到现在，仅一百年光阴，和两千年的"一统帝制"比较，时间也太短。"老百姓"自己改过来也要一段时间呢。

您那天讲土地政策，讲到把土地发给农民，再收回，还是站在帝制、皇帝观念上说话，把国家和民众对立着。

比如八十年代初，土地发给农民联产承包，因为政府必须关心几亿农民吃饭的问题。进入九十年代之后，城市的发展需要大量土地，改革最棘手的东西暴露出来了，因为土地是整个中国人民的，是农民的，也是城市人的，焦点矛盾集中暴露在城乡交接地带。

土地不仅仅是农民的了，这是改革的一部分。只是因为中国人口众多，吃饭是大事情，才有"基本农田"这一说法。

站在"土地是农民的"这一基础上，我觉得有站错队之嫌。

改革，改的就是观念。

再说些改革中的观念。

土地与田园

农本思想与田园经济是我们传统的核心价值观。

我女儿穆一读初中一年级那年，您给她写过一个书签，"一等人忠臣孝子，两件事读书耕田"。她一直压在书桌的玻璃板下。以前中国人就是两件事，读书与耕田，很多人家门楼上写着门匾：耕读传家。一个将军，赫赫战功之后，要"解甲归田"，当朝宰相求隐，叫"告老还乡"。但如今的中将或部长，退休了，国家给退休金，不给土地。

以前的土地，是人的立身之本，将军大臣，皇上要赐土地，自己也要仗权势圈地。商贾做大买卖的人，也要在乡下置地，无地的人，就是稗草，被风吹着没落。土地是判断一户人家，或一个人价值的基本参照物。大户人家、殷实人家、破落人家的区分，就是以土地为标准。有土地的人叫地主，在别人土地上干活的人叫农民。农民不是职业，是身份的代称，如同以前的公务员叫老爷一样。土地所属的不平均，是造成以前社会不稳定乃至动乱的根本原因，"揭竿而起"的主要原因就是农民没有了活路。

以前的诗或文章，写田园乐、故土情，是写"主旋律"，因为是那时候的核心价值。游子一词，是针对故土说的，游子思乡也是一种"主旋律"。

如今，农民有了自己的土地，人均有份。土地的所属不平均的时候，多的是地主，少一些的叫富农，可怜的叫贫农、雇农。如果一种东西是平分的，这种东西的内在魔力就会下降，直至消失。从大趋势上讲，如今的农民是职业了。

农民一词的内涵发生了变化。

只是这变化还有待于被清晰、被认识。

如今的政策是"亡羊补牢"，比如"小城镇建设"和"新农村建设"是矛盾的，"小城镇建设"是缓解大城市的压力，因为大量农民工进城；"新农村建设"的用意也差不多，把农民再吸引回到土地上。这一政策不太起效果，因此又在城市打造"新农民工"形象，给一些优秀的农民发城市户口，让农民工孩子就近上学。

《高兴》这本书预示了这种矛盾和尴尬，但麻辣味再浓呛些会更好。

关于"质疑"

一个作家如何"质疑",暴露出他自己很多东西,学识,眼光,心胸,见识还有见地,还能见出品位。

质疑有三种:

1、一个人真的不明白,学生问老师的那一种;

2、对常识的卖弄、显摆,如十万个为什么那种,在科普范畴。

这两方面是一种,不在文学范畴内。

第二种是看出了,看见了,看着了,被激怒了。持这种质疑的人,一定要提醒自己看得够远吗?自己近视吗?十年之后,五十年之后,自己的看法如何呢?

社会的规律是大势,怎么往前走是"天定的"。

一届能力强的政府让人们欢欣鼓舞;一届能力弱的,手忙脚乱的,不断亡羊补牢的政府让人们垂头丧气。从本质上说,这两种情况是一回事,人们的欢欣鼓舞或垂头丧气都是"当局者迷",都是"身在此山中"。

一个优秀作家的激动或沮丧不应该在这里。

第三种质疑是科幻小说式的,自作主张,异想天开,漫天要价。

还有质疑的基础问题,就是站在什么立场上质疑。

古希腊有一个哲学家习惯睡在一个大瓦罐里,亚历山大大帝知道了,去问他:"有什么需要我帮助的吗?"哲学家睁开眼睛说:"万分感激,请您移开一步,不要挡住我的光线。"

有人解读为,这是哲学家的智慧,光线不是皇帝能赐予的。

有人读出不畏皇权。

这两种解读都内含着质疑。其实,哲学家在这件事上想的一点也不复杂。除了不要挡住光线,他没想别的。

我们有不少"解读"都存在问题,比如孔子周游列国的落魄,是因为多个诸侯君王不买他的账。读庄子是远离政治漩涡,心怀天地。屈原失宠于楚王,李白"天子呼来不上船",还有苏轼如何,王安石如何等等。

"质疑"声离政治太近!似乎是站在官府院子里向外看。政治是社会的核心地带,但文学要升腾起来。

关于"超前"和"滞后"

八十年代的文学是热的，读者多。作家们看社会问题准，脉把得好。比如《班主任》《高山下的花环》《爱情的位置》，等等，那时是改革初期，冰河才解冻，两岸的树才刚刚长出嫩叶，作家们为多个领域代言，看得很是"超前"。

但随着社会的进步，作家看社会不太清楚了，不是眼花了，而是社会结构多元也多姿态了。作家的眼光不再"超前"了。可以做个比较，把作家、经济学家、社会学家、医学家、军事学家、法律专家、科学家排在一起。作家看社会不仅不比他们"超前"，甚至有了落差。如今文学杂志的冷漠局面，大多数作家的失落感，根本原因就在这种落差上。

分析这个问题，看一些文学杂志的目录就清楚了。看目录上的题目，就知道了作家眼中看的、心里想的是什么？很多文学杂志卖不动，不是"文学边缘化"了，是作家们"滞后"了。作家写的东西，如果不是社会焦灼层面的，不是社会进步层面的，如果听不到社会文明脚步艰难迈进的节奏声，听不到观念的车轮轧动铁轨的咣当声，这样的文学注定不被欢迎。

有点困了，先写到这里。

乱写这么多，真的想读到您更过瘾的下一部新书。

穆涛
2009.10.27

《带灯》这本小说带来了什么

我跟老贾是同事，他是主编，我们做了21年同事了。艺术审美是需要拉开点距离的，我们距离近，办公室紧挨着。太近了，许多东西就看不清了，属于灯下黑吧。我参加过他太多次研讨会，但基本不说话，只是帮忙做些会务。今天因为是这个形式，要是上午的形式我还不准备说。现在这个气氛有点儿像我们《美文》编辑部开会，就事说事，实话实说。我说三点，因为是灯下黑，我就瞎说。

第一点，我先说说他怎么写人，怎么写事情。

老贾的写作是用中国人的脑子写中国人。我们的当代文学，学习外国文学太投入，都不太像中国人的文学了。天真或者逼真地模仿外国人写作，不叫国际化，也很难达到超一流水平，叫"影子文学"还差不多。世界上强大的民族，都是用本民族的思维方式思考事情和做事情的。文学是人学，老贾是这么写人的。当然，他还写得不够好，至少离我觉得他应该达到的标准还有点距离。但他这些年，写的这些书，都尽力地在做这方面的工作，创作着中国人的文学作品。老贾写事情，是放在变化中去写，放在越来越复杂了的社会状态中去写。在他的长篇小说中，只有《浮躁》这一本单纯一些，以后的那么多本，都是越写越复杂。

我们现在面临的这个中国社会有多复杂呢？我举几个细节，比较着，也分析着去看。

先看大的方面。我们现在是世界经济的老二了，经济上挺强大。我们开了奥运会，世博会，还有大阅兵。有那么多开发区，有深圳速度。有珠三角经济区，海峡经济区，环渤海经济区，关天经济区，以及西部大开发，振兴东北老工业基地等等。我们用三十年时间，摘掉了贫穷落后的帽子，扬眉吐气地做中国人了，这是很了不起的。这些是大的方面。

我再举几个小例子，对应着去看。

在今天的农村，有那么多无依无靠的孩子，叫留守儿童。有那么多无助的老人，叫留守老人。不仅仅落后的村子有这种情况，中度发展的村子这种情景更多。而且这不是个别现象，不是小数字，已经构成了一个庞大群体。一个时代被叫作太平盛世，有一个底线标准，就是老有所养，少有所教。比这种情况更值得深思的是，造成这种情况的人在哪里呢？在城市，学名叫农民工。留守儿童，留守老人，农民工，现代汉语词典里应该收入这三个词，但该怎么注释呢？该怎么向我们的后代解释这件事呢。据相关资料统计，城市农民工的数字大约二亿六千万，差不多有半个欧盟，十个台湾那么多。这些人口是流动的，是我们当前社会里最大的不确定因素。

秦朝是怎么灭亡的？在暴政苛政之外，还有一个重要因素，就是流民问题。秦国政府为了鼓励老百姓生儿子，制定了土地奖励政策，生儿子奖土地，生闺女什么也没有，后来没这么多土地了，这个政策就作废了。这是秦朝流民问题的成因。今天的农民工，以及留守儿童，留守老人，人口更多，情况也更复杂。经济学家与社会学家的大眼珠子，少看几眼GDP，扭头看看这边吧。

再说说河流。有一份调查资料说，在我国经济发达及半发达地区，有接近50%的地下水资源被不同程度地污染了。地下水是和土壤、农林植物紧密联系在一起的，这就可以解释湖南多个地方收获的"有毒大米"事件了。三十年的时间，地下水被污染了，要想恢复过来，恐怕需要九十年。地下水是这个样子，地上水又怎么样呢？1949年建国以来，我们的政府在两件事上下手有点过重，其中之一就是对大江大河的治理。黄河上修了那么多水库、水电站，其中的功与过已经不需要后人评说了。黄河如今是经常断流呢。在黄河下游，河北、河南和山西一些相邻的村子经常为争水集体斗殴拼命呢。长江这方面的话题也有点沉重，具体的不太方便说，但长江沿线的一些湖泊这些年已经不断发出警示讯号。在大江大河上大动手脚，是会导致重大生态变化的。我们下手过重的另一件事是祖坟挖的多。是从明十三陵定陵开始的吧，帝王的，大臣的，各方著名人物的，我们以保护的名义做着太多的破坏工作。所谓的"曹操墓"闹了多大的笑话，这是开先人的玩笑呢。有一年我在新疆一个小博物馆，见玻璃罩子里躺着几个干尸，就感慨地想，这几位当年究竟犯了什么天条，以至于一千年之后在这里暴尸。老祖宗留下的遗产，是给子孙万代的，不是只给我们这一代的。现在有一个时髦词，叫"可持续发展"，我觉得说得太轻描淡写了，地下水，地上水弄成这样子，让我们的后人怎么生存？又在不遗余力的挖祖宗留下的东西。我们这一代人应该认真思考一个实际问题，如何给我们的后人做个好一点的祖先。

还有我们的人文生态问题。

有一出老戏叫《除三害》，主人公周处本事大，能力强，却是个村霸，横行乡里。他上山斩恶虎，下水除蛟龙，为民除了两害，却不知道自己是第三害，后来受高人点拨，进山悟道去了。如今周处这样的人在社会上比较多，有的还挺受尊重，进了政协或人大。什么是人文生态呢？在以前的村子里，对什么事该做什么事不该做基本是有共识的，做坏事当恶人是被多数人不齿的。如今这个底线遇到了挑战，今天有"贩毒村"，"贩卖人口村"，"偷盗倒卖自行车村"，还有"洗脚按摩村"，差不多一个村子就是一个完整的"产业链条"。这些"问题村子"的出现暴露着一个大问题，在利益驱动下，是与非的界限没有了，基本的道德底线断裂了。

人文生态的恶化对我们社会进步的威胁是极大的，我们再来对比着看一个现实，我们现在经济上强大了，世界经济排名老二，但中国人行为做事的信誉度排名是老二吗？我看排进前二十名都危险。我们用怎样的眼光看身边暴富又行为不端的"煤老板""油老板"呢？

盖房子是重视打地基的。社会这所大房子，地基就是人文生态。人们的行为要守一个基本准则。"文化大革命"最大的害处是把中国人传统行为准则破坏了，那些年有一个口号叫"破四旧"，是指破除旧思想、旧文化、旧风俗、旧习惯。旧中国被尊称"礼仪之邦"，我们老祖宗在做人做事方面是有大规矩的。老百姓的衣食住行，婚丧嫁娶，邻里往来，都有规矩，七十二行，也各有行规。把这些东西都废除了，有更好的东西替代它吗？改革开放三十年，经济上取得了大成就，但中国人传统性格里善良淳厚的东西随风飘逝了多少呢？我们的经济大厦这么宏伟，但支撑它的地基是什么呢？我们如今有"学雷锋""五讲四美三热爱""八荣八耻"，这些东西好是好，就是有点简陋。现在很多人都在讲"信仰缺失"，我看倒不是信仰缺失，中国人几千年以来一直都没有主体宗教，而是"以礼入教"，礼就是规矩，我们如今是规矩缺失。

我们如今的社会形态就是这么个现实，辉煌着，伟大着，我们解决了十几亿人的吃饭问题，让大多数人过上了相对好的日子，这是非常伟大的。但同时存在着这么突出的隐患、隐忧和隐痛。社会现实就这么复杂，一个作家，一个有良心和良知的作家，应该对历史负责任地抒写我们的时代。

《带灯》这本书，不仅仅是在批判现实这个层面上，老贾是在沉着冷静地呈现着当前现实状态。这是一本血淋淋的书，只不过老贾的文风厚实，语言生动，一白遮百丑，看起来才不那么血腥。

第二点，我说说对今天的文学标准的看法。

一百年前，也在"五四"之前，新文化思潮启蒙的初期，张之洞提出一个口号，"中学为体，西学为用"。可以说，这是对未来中国文化结构的思想设计，这个设计非常了不起。一百年后的今天，这个思想设计完成得怎么样呢？

我觉着，好像把这个设计弄拧巴了，很多东西，成了"西学为体，中学为用"。甚至在认识领域，提到"新思维"，就成了西方的代名词。

我们今天的经济在世界排名老二，这个排名的标准是西方的。不仅仅经济标准，太多的领域我们都在听命于人，工业指标、农业指标、科技、环保、教育、尤其是大学教育。现在的大学教授，嘴里说不出几个洋人名字，会被视为没水平。"地沟油"是厨房垃圾，它的危害我们已经认识到了。但大学的讲堂上，来自国外的"学术地沟油"正在热火地煎炒烹炸呢。太多一知半解的，模棱两可的，七零八落的，甚至自相矛盾的东西成了我们教授的掌中宝。大学，是出标准的地方，大学教育，尤其是人文科学领域，是关乎民族精神和民族根本的。"五四"大学生走上街头干嘛？是反对卖国，是为了不做洋奴。

我们今天的文学标准又怎么样呢？有一个事实不能被忽视，没有向外国文学的学习，就没有中国现当代文学。这种学习不仅仅是写作方法，也有思维层面的东西，比如"小说"这个概念。中国的旧文学称为"小说"，是基于思维方式的命名，这种文学形式不是走在社会大路上，是羊肠小道，不承担社会重大责任，基本是娱情娱乐，占个"小"字。中国的旧文人，写诗写散文，署自己真实姓名，写小说，多数用化名，因为在以前，写小说不被认为是文化才能。今天的小说，能走在反思社会进步与倒退的主航道上，是学习西方文学的结果。但现在还有另一个事实，如果把西方的文学标准拿掉，我们有建立在现代汉语基础上的中国文学标准吗？如果真的把西方文论丢开，可能有些评论家就不太会说话，也不太会写批评文章了吧。

西北大学有一位硕士生，毕业论文写贾平凹，核心谈贾平凹小说中的知识分子的形象。他来找我，说是听听我的看法。我先让他说说"知识分子"这个概念。这个学生挺认真，"知识分子"这个概念梳理得挺清楚。我又让他说说汉语中"士"和"文人"这两个概念，他说得不太清。我告诉他，中国传统文化人有个标准：达则兼济天下，穷则独善其身。知识分子是外来词，也有一个基本原则，不管达或不达，都要有社会关心。中国的文人与西方的知识分子，在这一点的认知上是有差别的。当代中国的文化突出人物，有对中国传统反思与扬弃的一面，也有学习借鉴西方的一面。但你敢肯定他们会沿着西方标识的知识分子路标往下走吗？这位学生说，那这个文章写不成了。我说你要写，这个问题值得深入思考，这也是贾平凹写作里有大魅力的一面，可以从贾平凹笔下的人物与"知识分子"形象的差异写起。

秦国和秦朝，最了不起的地方是建立标准。"车同轨"，统一度量衡，统一历法，"颛顼历"虽然不太合适，但中国地大物博，历法都凌乱着，有夏历，周历，殷历等六种，每年的正月都不一样，这还叫统一的国家吗？"书同文"，统一文字书写。"行同伦"，这件事做得差劲，"焚书坑儒"，人的思想意识能统一吗？一张纸把星星之火包起来，是痴心妄想呢。

一个国家，如果不打算什么事都跟在别人屁股后边跑，那么在有些领域，可以遵循国际标准，而在有些领域，必须有自己国家的标准。前几天看过一个消息，说2015年人民币可以实行自由兑换。人民币自由兑换，意味着我们快有自己的金融标准了。也不知道我们中国的文学，什么时候有自己的批评标准。

第三点，我给老贾提个建议。

《带灯》这本书里，有二十九封信，是带灯写给自己意念中的意中人的。中国旧文学讲"写境"，也讲"意境"，"意境"显示着境界和深度，也显示着写作人的审美高度。旧小说里有那么多旧体诗，那是用来显示才能的。一本《红楼梦》产生了"红学"，是因为这本书里既有文学才华，还有文化才能。老贾在文章中多次说过，小说仅有故事是不够的，小说不能写得太像小说，这是他的文学观。带灯的这些信与小说里讲的故事是互不干涉的两条线。在我看来正是用来实现意境的，类似的方法他以前的小说也用过，比如《废都》里人和那头奶牛的对话，《土门》里主人公的灵魂出窍。老贾重视这一点是他区别于其他当代作家的地方，是与众不同，也是过人之处。但我觉得，这些信，这些信里谈的东西，太美好，太干净。里边的那种善也不是中国人"人之初，性本善"的那种，不原生态，不混沌。可能这正是写作者的用意，带灯就是一盏美好的，干净的灯。我觉着有点理想化，这些信的力量压不住那里边的故事。"红学"的魅力在于追究故事之外的那些东西。或许《带灯》这本小说的故事太有力了，既复杂又清晰，既残酷又婉转。有的地方叫人掉眼泪，有的地方又令人莞尔。而且故事里的这些人物，几乎每一个都真真切切，是"解体了"的人。"解体了"是什么意思呢？"文革"中，毛主席站在天安门城楼上，整个中国，只有他一个人是清晰的，下边的上百万人是个群像，每个人都是模糊的。改革开放三十年之后，这个群像解体了，成为了真实的个体。《带灯》这本书的亮度之一，就是这些清晰生动的个体。这仅仅是个建议，说出来，供主编参考。

今天我的话长，以后再填表格时，遇到"有何特长"一栏，我就填今天这次发言。

两本书：《秦腔》和《废都》

2008年11月2日，贾平凹获得了茅盾文学奖。

获奖作品是《秦腔》。授奖词是这么评价这部长篇小说的："贾平凹的写作，既传统又现代，既写实又高远，语言朴拙、憨厚，内心却波澜万丈。他的《秦腔》，以精微的叙事，绵密的细节，成功地仿写了一种日常生活的本真状态，并对变化中的乡土中国所面临的矛盾、迷茫，作了充满赤子情怀的记述和解读。他笔下的喧嚣，藏着哀伤，热闹的背后，是一片寂寥，或许，坚固的东西都烟消云散之后，我们所面对的只能是巨大的沉默。《秦腔》这声喟叹，是当代小说写作的一记重音，也是这个大时代的生动写照。"

在会上，贾平凹很认真地说了获奖感言，但他浓重的陕西南部乡音让多数人听着模棱两可，尤其是其中的一句，"当获奖的消息传来，我说了四个字：天空晴朗。"被听成"这就行了"。当弄明白是"天空晴朗"之后,又有人追着问他:"你要是没获奖,是不是就是乌云密布?"天空晴朗就是一种心情表达,没有什么喻指。这个词是这么出笼的:我得知《秦腔》获奖的消息是在一个中午,就打电话给他,没头没尾地问了一句:"知道了吗?"他也没头没尾地答了一句:"刚知道。"我说:"我去你家里?"他说好。我们两个人坐了很长时间,东拉西扯,雅俚并雕,却是谁也不提获奖的事。告辞的时候我问他,说说你听到消息时的心情。他想了一会儿,说:"就是天空晴朗,没啥。"

另一件让他"天空晴朗"的事是《废都》再版。2009年8月,作家出版社将《浮躁》《废都》《秦腔》三部长篇小说以函集形式再版,这不仅是一种出版策划,还是对他三十多年写作经历的解读和肯定。《浮躁》代表他的八十年代,《废都》呈现九十年代,《秦腔》是他在新世纪第一个十年的重要收获。这三部书是他的三个高峰,《浮躁》获得"美国美孚飞马文学奖",《废都》获法国"费米娜文学奖"和"法兰西最高文学艺术荣誉"称号,《秦腔》获香港"世界华文长篇小说奖(红楼梦奖)"和"茅盾文学奖"。

贾平凹是获奖最多,同时也是获批评最多的当代作家。从1978年《满月儿》获第一届全国短篇小说奖起,到2008年获茅盾文学奖,三十年时间里各种"授勋"近百次,但各种"严厉批评"也是此起彼伏,相得益彰。说他宠辱不惊有点过誉,他惊也惊过,喜也喜过。最重要的是脚踏实地且步伐矫健地一路走了过来。贾平凹的文学经历是他自己的"历练劫数",对中国当代文学进程也是一种启示。

创新

文学创新不是刷新。不是泥瓦匠在一面旧墙上用刷子蘸石灰做的那项工作,也不是跳高选手把横杆抬升了两厘米,或短跑名将在一百米之内用时减少了半秒。文学是精神的,文学创新是人的灵魂内部呼出的新气息。

我是这么理解"机器"这个词的。

一个人坐马车走长途,道路泥泞难行,马是动物,也累也饿,他不得已萌生出一个念头,要是有一匹不累也不饿而且跑得快的马该多好。就这样,火车诞生了。那个念头是机,是动机,是机心,火车是器。控制机器的,叫机关。如今政府机构叫机关,源头也在这里,政府是控制民心节奏的。

小说这个名字,不是谦虚,不是客套,不是小的如何如何。叫小说是旧的文学观,是小说"小时候"取的名字。中国的古典小说以"回"分章节,是世界小说史里的独有。以前的小说，是写给说书艺人的，"市场"在茶楼和书坊里，有点类似今天的小品，主要"工作任务"是"休闲娱乐"。要么就是写给自己看，用今天的术语叫"私人写作"。小说的原定义是"琐屑之言，非道术所在"。现代小说最大的创新是摆脱了"小"，成为"道术所在"的主渠道。

评价贾平凹的写作，可以用一个词——中国作派。看中国这片土地上发生的事情要用中国人的视角，思维方式和表现手法可以"引进技术"，我理解这是贾平凹文学创作三十多年一直受读者关注并"长盛不衰"的重要因素。还有一个因素，贾平凹的文学语言是中国式的，是汉语化的，他基本不受翻译词汇和句式的影响。

用看"国画"的眼光去打量贾平凹小说的笔法，效果更清晰一些。他擅用"破笔散锋"，大面积的团块渲染，看似塞满，其实有层次脉络的联系，且其中真气淋漓而温暖，又苍茫沉厚。渲染中有西方的色彩，但隐着的是中国的线条。他发展着传统的"大写意"，看似一片乱摊派，去工整，细节也是含糊不可名状的，整体上却清晰峻拔。

贾平凹是当代作家中"推陈出新"的代表人物，他的新不是引进的，不是器官置换。他是由"陈"而生的机心。因此他的小说人物不夸张，朴素沉着，有人郁勃黝黯，有人孤寂无奈，人物的宿命里有世情的苦涩和悲惨。他的根扎在中国文化里，又练就了一手过硬的写实功夫，无限的实，也无限的虚，越实越虚，愈虚愈实。

立场与观念

用吹蜡烛的方式去吹灭一盏电灯是荒唐的，荒谬之处不是使用的方法，问题出在观念上。拉登是个危险人物，他的存在就是潜在的威胁，但在基地组织内部，他是个受尊重的领导者，其中巨大的差异是因为所处的立场不同。

先说立场。

看一个喝水的杯子，角度不重要，杯子规模太小，可以一眼看穿。看一个独立的房子，角度的重要性就显示出来了。从前边看，和从后边看是两回事，爬到房前的树上看又是另一回事。站在哪里看，那个位置，就是立场。

看山和看河是不同的。山是静的，但四季有变化。河是每一刻都流动着，但四季变化不大。北方的河冬季要结冰，但这只是表面现象。看山，在山脚看，和在山顶看不一样。山里人和山外的游客对山的态度也不一样。鱼是水里的游客，却是河的家人，对河的态度与岸上人家不一样。大的河流，横看和竖看不一样，顺流看和上溯逆流看更不一样。子在"川上曰"的，虽然只是一句话，却沉淀着历史的高远和苍凉。

再说观念。

观念是活的，是随时事变化的。僵死的叫概念。观念是先进着好，掉在队伍后边的叫落伍。在队伍前面的是引导着变，在后面的是跟着变，好听一点叫应变。

以土地观念的变化为例：

以前的土地，是人的立身之本。土地是判断一户人家，或一个人价值的基本参照物。大户人家，殷实人家，破落人家的区分，就是以土地为标准。将军大臣，皇上要赐土地，自己也仗势圈地。商贾做大买卖的，要在乡下置地。有土地的人叫地主，在别人土地上干活的叫农民，农民不是职业，是身份的代称。如同以前的公务员叫老爷一样。土地所属的不平均，是造成社会不稳定乃至动乱的根本因素，"揭竿而起"的主要原因是农民没有了活路和出路。

农本思想和田园经济是以前的核心价值观。

有一个老对联，"一等人忠臣孝子，两件事读书耕田"，以前的中国人，无论贵贱，人生理想就是这两件事，读书和耕田。当朝重臣求隐，叫"告老还乡"。一个将军赫赫战功之后，要"解甲归田"。如今观念变了，将军或部长退休，国家给退休金，不给土地。如今，农民有了自己的土地，人均有份，除了超生的。如果一种东西是平分的，这种东西的内在魔力就会下降，直至消失。从大趋势上讲，今天的"农民"是职业了，农民一词的内涵发生着变化，只是这变化还有待于被清晰，被认识。"新农村建设""小城镇建设"，以及农村户籍改革，是政府在应变。

土地观念发生了变化，以前的诗或文章，写田园乐、炊烟情，是写"主旋律"，是呈现那时的核心价值。游子一词是针对故土说的，游子思乡也是"主旋律"的一种。但今天的作家再这么写，就叫落伍，或叫不合时宜。

贾平凹的写作，以土地和农民为主要观测目标。他瞄准的正是中国土地上正在发生着的一系列根本变化。《浮躁》写于1988年，之后他连续写出了《废都》《白夜》《土门》《病相报告》《高老庄》《怀念狼》《秦腔》《高兴》。《浮躁》是站在农民立场上的，这是这部小说的局限之一，但也是那个时期里中国作家共有的局限。那时候流行"代言"这个词，作家是"代言人"，写农业题材，是为农民代言，写工业题材，军事题材，教育题材，是为不同的行业代言，也就是说，小说的题材不同，作家的立场也不同。如今的时代讲"发言人"，代言人和发言人，一字之差，变化是很大的。教育部发言人,外交部发言人,台湾事务办公室发言人,讲的虽然也是"局部利益",但立场变了,视野和视角变了,牵涉面宽了,是整体环境下的"局部利益"。《浮躁》之后,再经过《废都》的脱胎之痛,贾平凹的"立场"变了,由农民视角"位移"到中国文化层面上,审视中国当下农村的剧痛和巨变,《土门》写城乡结合地带农民的心态,是土地观念变化的最前沿,是焦灼区域。《怀念狼》臆想变化了的土地上狼的变迁史,狼是生存能力超强的人的喻指,在生存困境中如何艰难挣扎。《病相报告》是一段传奇,是贾平凹有意改变叙事的路数,着眼于人的自然属性被非客观之后,缺陷是怎样产生的。《高老庄》是《秦腔》的前奏,是一场大戏前的彩排,更是足球赛前的热身赛。贾平凹是导演,是教练,在热身赛中试验着战术的多种可能,在正赛开始的时候,他才敲定了上场人员名单,以及各自的位置。在正赛结束之后,观众看的是结果,但教练更偏爱那场热身赛,因为那里面闪烁着自己更多的足球智慧和战术初衷。《高兴》代表着贾平凹写作的一种转变,他开始替遭受生活困境的农民安排出路了,这部有着"明天"色彩的小说,人物是以变形的姿态存在的,或者叫冷幽默。冷幽默是幽默大王或完全没有幽默感的人制造的,贾平凹的幽默是骨子里的,他没有看明白现阶段中国农民的出路,他自己也深陷困扰之中。

贾平凹笔下的中国农村是现阶段的,他的这些小说构成着空前的乡土中国之变,他是一位特立独行的中国农村问题的观察者和思考者,他在尝试着寻找"规律",但必须要说的是,截止到《高兴》为止,他和社会学家一样,都没有找到。或者换成那句流行的话,他在"摸着石头过河"。

以前

　　这两年，平凹主编深居浅出，难得见上一面，有时一连几个月，也不在编辑部露个面。粗细事务，均是通过电话和手机短信沟通。审读稿子，也是让人送到家里，之后再差人送回。见了面就推辞说，老了，腿脚懒得动弹。我知道他又在倾力写作新的长篇小说，他不明说，我也不戳穿他。一天晚上吃羊肉泡，他吃了一大海碗，然后拍着肚子哼秦腔，声调极不悦耳，一边拍，一边说："这叫鼓腹而歌。"我指着那个碗说："你是廉颇呀，这么能吃，不知能拉否？"他拍着肚子，"能拉。"

　　以前他可不是这样子，以前在编辑部，中午也不回家的，叫几个人打扑克，带输赢的，他嗜赌，只是赢的时候少，手艺弱些，但经济上不受大损失，超过一百元，手就不往兜里掏了。他擅长赊账，他不说赊，叫挂账。挂得多了，我买回一个小黑板，放他书柜里，每次用粉笔记上：某日欠XXX元。下次再聚，他先擦了黑板上的字，再动手洗牌。我们出差途中也打,火车的卧铺,飞机的候机室,开汽车出去就把座位放倒一个。这些位置,都见证过他的挂账史。小赌怡情,方法多样,基本上是就地取材,也因时因地制宜。只有我们两个的时候,是抽扑克比大小,在他跟前,我手气总是罕见的杰出。他抽到九,我一翻,就是十。我抽了二,他能找出一来。为此他撕过不少张扑克。他赢我的地方是预测,比如在街口,他说,经过的第十辆车车牌尾号是单数,或者,走过去的第九个人穿西装。他还总结过经验,说如今穿西装的主要是两种人,一种是领导,一种是农民工。打牌的时候赌钱,预测的时候赌物,这是他定的潜规则。我有好几件收藏被他抱回了家里,其中挺心疼的一个大的石印章,石头有齐腰高,石质沉着,浅褐颜色,尤其刻工好,刀法刻意讲究,他叫了两个人来抬,下楼的时候,我沿途护送着,见我阴沉着脸,他还嘲笑,"一个小副主编,家里藏这么大个印,你想夺权呀。"让他心疼的东西也不少。我给一个小老板赢过一个牌匾,叫小老板,其实是下岗工人,是我的亲戚,开个小书店,请他题门头,又掏不起润笔。还有四幅画,一个茶碗,一个盘子,一牛和一虎。茶碗那张独具一格,一大张宣纸,居中一个茶碗,题款是"好茶是内敛的"。盘子很别致,上边堆着一坨东西。题款是"天热,送你一盘冰淇淋,吃完把盘子还我"。那坨东西是很萎缩的一团,怎么看都不像冰淇淋。牛画得好,说是牛,主要是牛头,还有题款,"能干,能忍,能驮,能哞,头低且倔,肯下死力气"。虎没画好,那天他心情不好,本不该输的。虎是四尺整张的,虎脸有悔意,边款是小楷,"当人愤怒时变成了虎,当虎上山后又变成了人。当人见了女色又变成了壁虎。庚辰冬",庚辰是2000年。

以前编辑部开会,他讲笑话多,大家到齐了,他先讲几个段子,然后再说稿子什么的。记得创刊初期有一次开会,大概是1994年吧,是个雨天,人没到齐,他说:"咱先讲笑话,慢慢等大家。我说个谜语,谜底是在座的一位编辑。"他看了看窗外,说:"雨天猜谜好,天意。谜面是……"他停顿了一下,"皇帝的生殖器。"大家都笑着看副主编王大平。显然这话的指向是王编。我抬了抬手:"我猜到了。"大家又笑着看我,因为王大平先生是学究,岁数也大了,平常不开玩笑。我也看看窗外,慢慢地说了两个字:"主编"。大家那个笑呀,还有拍手的。

以前的时光真是浓郁,平凹主编快把新书写完吧,想赌也想猜谜了呢。

收藏

最初的时候，贾平凹是收集，不是收藏。他不做选择，看入眼的都往家里背。汉罐、瓦当、画像砖、拳头大小的旧石狮子有两千多个。他写过一个短文章，叫《狮子军》。还收过一把老椅子，他说是元代的，我看着更像先秦的，做工特粗，而且少了一条腿，他用一摞旧版书支撑着。上面放着一把民国时期的笨茶壶，朋友来了，他就用那把茶壶泡茶，一壶水足够喝一天。一天家里来的人多，他去邻居家借了两把椅子，还椅子的时候，邻居大嫂看着他那把伤残椅子，说："贾老师，不用还了，您留着用吧。"大嫂是热心人，一次在楼梯上碰着，问他："家里有要扔的东西吗？我叫了收垃圾的。"贾平凹连说没有没有。还有一个细节，一个星期天的早晨，大嫂敲门，领着不足十岁的儿子，说话气呼呼的，不是对他，对着那个怯怯的孩子："你问问贾伯伯，贾伯伯是怎么成大书法家的，就是敢写。以前也是一写一个墨疙瘩，揉了再写，天天写。"

原来大嫂在教育孩子，孩子报了一个书法班，却没有兴趣。

实践出真知，这句话说的真是没错。现在的贾平凹是秦汉文物的鉴赏家，那一时期的老货，看一眼，或闻闻气味，就辨了真伪。他的收藏，也由杂货铺升格为颇具规模的博物馆。

贾平凹人心宽厚，走路也怕伤了蚂蚁，但收藏起东西来，下手却重。

我有失三宝之痛。一痛是杯子，一痛是汪曾祺老人的画，一痛是军统大特务用过的文件柜。

杯子是一个瓷艺家给我专制的，通体瓷本色，暗纹起伏，朴素大方。难得之处是这一款只有一个，是独生子。我舍不得让它着水，就放在办公桌上天天旁观。贾平凹的办公室在我隔壁，这天他走进我房子，说："我吃点药，给我倒点水。"我问他杯子呢？他指着桌子，就用这个吧。我说这个不是喝水用的。他说是吃药，不喝水。我先清洗了，倒了一点水给他送过去。过了一会，他就带着杯子回家了，"药"还留在他办公桌上，是果味VC。

说汪曾祺的画得先说孙犁的字。我有孙犁老人一幅字："坚持不懈，精益求精"。这幅字本是写给我一位朋友大星兄的，他是篆刻家。我见了很喜欢，于是借过来看。1993年初我从河北到西安工作后，就把这个事给放脑后了。大星兄心肠宽，也没催还过，字一直被我"借"着"看"了这么多年。

我喜欢这幅字除了书法意义外，还另有一个原因，是我做编辑经历里很愧疚的一件事。我在《长城》杂志的时候，编发过老人一组书信辑，记得是四十几通吧。当时年轻，做事不讲究轻重，杂志印出后有一处字误（手稿不太清晰是一个原因，若用心细致些，或再请教老编辑即迎刃可解）。老人从天津捎话来表示了意见，但也给了谅解和安慰。孙犁先生是当代作家中最珍重语言的，能给谅解已是他的高厚风节了。我为此一直自责，借看这幅字，也有当座右铭的意思。还有一个巧合，字是1992年9月写的，《美文》杂志也是在那个月创刊的。

我拘礼膜拜的作家还有汪曾祺老人。曾祺老人和我有过三天"交情"，当年他和老伴施松卿老师在石家庄待了三天，我跟班照顾日常起居，还陪他喝酒，一天晚上老人高兴，给我且写且画。字是"午夜涛声壮"，鼓励我要敢说话。画是一只鸟站在一个枯枝上，鸟很生动，枯枝因此也带了精神。我到西安工作后，把这幅画挂在了办公室墙上，墙的另一边是主编办公室，事就出曲折了。贾平凹说这画挂在了他的墙上，又说做事不能偏颇，要平衡，墙另一边也要挂几天。我见他存了掠夺心，就约法挂七天，七天后一清早我就去做了完璧的工作。但他记忆力好,一年后,他帮我解决了生活中一个难题,我问他怎么感谢呀,他笑着说汪曾祺的画呀。我那只生动的鸟就这么飞走了。但他也慷慨,给我回画了一只上了山的虎,至今还在我的办公室里。

　　孙犁那幅字刊登在《美文》2008年第七期的封底上,是对老人去世六年的纪念。杂志印出后,贾平凹说孙犁先生的字真好,要看原迹。我知道他又生了贪墨的心,就复印了五份,都送给了他,还附了一张便条:请主编反复看,一次看个够。

　　军统文件柜是箱式的,有床头柜那么高,顶盖上刻印着国民党党徽,掀开顶盖,里边函装着四个匣,每一个匣顶上也有那种党徽。柜子内部装饰着颜氏家训,整体做工极考究。贾平凹闻讯后,前后打了三个电话。第一个说国共两党现在关系缓和了,但仍需提高警惕,你是年轻党员。我说我是放在家里批评着看。第二个说那个柜子可以装手稿,你是编辑,写作又少。我说今后我多写些。第三个电话是硬来了,"我这些年也没要过你什么东西,这一次我要了,你可以来我家随便拿一个东西,咱换。"我说你没要过,但抢过。但说归说,下了班,我拥抱着柜子送到了他家里。他那个高兴劲呀,上下左右地欣赏。还说风凉话,"世上的东西都是有定数的,该是谁的肯定是谁的。"忽然话题一转,"我刚写了一个散文,给你念念,你是编辑,你会欣赏。"散文是《游青城后山记》,不足一千字,实在是写得好,只是朗读人的声音不敢恭维。我把文章装兜里,说:"这期咱《美文》有头条文章了。"走的时候我要选一件东西,四下里找的时候,他说:"你已经拿了,头条文章,是你说的。"我气闷了很长一会儿,说:"那你给我写一幅字。""我是主编,你是副主编,咱俩要带言而有信的头。写字可以,你再另找理由。"我转身打开了他存的一瓶五粮液,倒了半茶杯,"到了你家,饭也不招待。"他笑着说:"多喝些,浇浇愁。"

千字文

我十六年前到西安工作,十二年前终于有了自己的住处。贾平凹为我高兴,手书了《千字文》送我,整整十个条幅,挂在墙上很排场,但我锁在柜子里,经常一个人偷偷看,很珍重,很喜欢。当时担心保不住,主动付了些润笔。果然他更喜欢,后来要以十倍价钱回收,我没有同意。他有两三次说到这件事,我均以闭着眼睛静坐抵抗,下属反抗上司的通用方式只有一个,就是静坐。

《千字文》是短文章,却是千年大手笔。简约而包容量大,仅仅一千个汉字,"把上古到南北朝整个的文化大系,天文、地理、科学、政治,无所不包都讲了"(南怀瑾先生语)。最难得的是,它还是以前的小学生识字课本。一千个汉字不重复,念熟了背会了,一辈子也受用不尽。

我们的汉字真是了不起,本身就是一份独特的非物质文化遗产。一个字里含着几重意思，研究不同意思间的关联，有一个专门的学问，叫训诂学。比如春秋这两个字，代表着两个季节，还有另一层深意，是历史的别称。为什么把历史叫"春秋"，而不叫冬夏，其中蕴藏着很多说道的。汉字是在秦始皇时就统一使用了，但中国自古地广人杂，一个字的读音在各地差异很大。研究读音差别的，也有一个专门的学问，叫音韵学。以前南北方的文官在一起交流是很好玩的事情，彼此说的话谁也听不懂，像两个哑巴见了面，靠手势和写字表达意思。一句老话叫文人相轻，人与人之间隔着厚厚的语言栅栏，听到隔膜的声音先就烦了，怎么去相重？

汉字包容量大，概括力强，也形象有趣，是外国文字比不得的。也正因此，养就了我们"一言以蔽之"的文统，再大的事情，用几个字就概括出来了。比如"仁义礼智信"，这五个字是中国老百姓日常行为的道德总则，每个字也用不着解释，村里不识字的老汉都会身体力行地去做。明朝的读书人曹臣辑录过一本书，体例是书摘，叫《舌华录》，是如今出版的"名言警句"一类书的祖师爷。《舌华录》所采书目自先秦以降九十九种，取舌华，不取笔华。重史、集，不重经、子；重文采不重声望；重野不重朝。"古今书籍如牛毛，天下语言如蚊响，以此小轶，遂名舌华"。曹臣是读书种子，看书看得准，且让读过的书萌芽发枝，生新气象。古人把读死书的人叫书虫，这个比喻很传神，虫把书蛀吃了，自己却长不大。

孔子说"一言以蔽之"。一个和尚说得更生动："一句合头语，千古系驴橛"。一句要紧的话，可以拴住千万个脾气很犟的人。远的不说，身边的例子随手可拾。六十多年前有一句要紧的话，叫"枪杆子里出政权"，三十年前有两句话，叫"摸着石头过河""发展是硬道理"。十多年前有"三个代表"。现在正学习着的一句话叫"科学发展观"。当年蒋介石的政权为什么失败了？其中一个原因恐怕就是合头语使用不当，"宁可错杀一千，不能漏掉一个""攘外必先安内"，说的都是不合理不靠谱让人笑话的话。残酷的春秋历史印证了一个道理，一句合头语流传的时间越长，经典的魅力越持久。

贾平凹手书《千字文》，用时整整一个下午，还有大半个晚上，一直到夜里两点多才竣工。他妻子嫌写得慢，帮忙拽宣纸，袖口沾了墨汁。第二天我去取字的时候，他说："你该赔一件衣服的。"我说："应该，再搭一副套袖。"

另一支笔

好像是1998年,贾平凹过生日的那一天,朋友们凑钱送给他一支大毛笔,祝贺他文学人生二十年。笔有拖把那么大,他很喜欢,倒插在书房的一个大号汉罐里,笔锋向上。没料到的是,收到笔的第二天,他的书法润格涨价了,而且在书房里贴出了告示:无论亲疏,不分长幼,润格面前一律平等。朋友们怨气连连,这意味着再也得不到免费待遇了。于是,"一支笔的故事"就悄悄传讹了。传说贾平凹满月那一天,家人宴请邻里,酒席高潮时,准备了笔、塑料手枪,还有木头削制的官印,让他"抓周",但他的小手一把抓住的是自己的牛牛。家人搪塞着说,也是一支笔。后来又有人把这故事引申到他小说写作里的性描写上,这讹传得就更远些了。

贾平凹的另一支笔是书法和绘画,书法沉实劲道,得天独厚。绘画是随意赋形,绕过章法的。后来他兼作了一家美院的教授,他作教授,授出的东西少,得到的东西多。

有一个时期，他沉迷于画法的研习之中。一天半夜，他邀几个朋友赏识他的"新得"，宣纸铺陈了一地。一位画家恭维他，说有了学院派的意思。他再问我的看法，我的话让他有点扫兴，"我同意学院派的说法，但后边要加三个字，民办的。"扫兴却也高兴，他愿意听到真话。贾平凹有一个难得的品德，就是容得下批评，我常常想到一个问题，在他三十多年的写作道路上，如果他不是正视那些接二连三的"严厉批评"，他今天的文学成就恐怕要大打折扣的。在一次针对他的研讨会上，他形容自己是核桃命，要砸着吃。

贾平凹办过多次书画展，其中最成功的有两次。一次在深圳，一次在成都。深圳人的评价是"呼吸到了西安城墙上的风"。成都书画展是2008年"五一"期间，他回来的第三天发生了汶川大地震，我问他："这事轰动效应有点太大了吧？"他说："再不搞了，惹这么大的乱子。"

1998年我作《美文》副主编，作为主编，他当时给我写了四个字：忘知守本。这其实是他对艺术的态度。这些年来，他一直恪守着这个守则。关于如何写作，还有一个流行的观念，叫"十年磨一剑"，意思是只有慢写才出精品，常举的例子是曹雪芹和《红楼梦》。我对这个说法持一分为二的态度，写作速度的快与慢和是否精品没有直接的关系。有一种老式手枪，叫"单打一"，也称"铁公鸡"，子弹是上一发打一发。武汉产的"汉阳造"是五发装置，驳壳枪是二十发，机关枪是连发的，什么枪打什么子弹，并不是射得慢的才是神枪手。精品是深思熟虑的结果，让一个手笔快的作家慢写，等于告诉他对这个问题尚没有考虑成熟。有一次，在《美文》编辑部的会上贾平凹说："我怎么就写不慢呢。"我建议他："用毛笔试试，学曹雪芹。"

一个人问我生活中的贾平凹是什么样子，我给他念过一段伍尔夫评价蒙田的话。现照录如下：

可不是开门见山的人。这位先生眼睑下垂，脸上带着做梦似的迷迷惑惑的神气，一边面带微笑，一边又郁郁不乐，叫人难以捉摸，要是从他嘴里掏出一个明白答案是办不到的。

履历

贾平凹第一次到西安是1966年的夏天。

那一年他十三岁,是陕南商洛镇初中二年级的学生,他和几个年长一些的同学到西安参加"文革串联",他对"串联"的全部认识仅限于可以免费到省城住几天,这对山区长大的少年无疑是一个巨大的诱惑。他们各自背着铺盖卷儿,搭乘一辆顺路卡车,从商洛一路颠簸着翻过秦岭。他是同学中个子最矮的一个,为了弥补缺陷,他特意戴了一顶大草帽。山路崎岖,他不是晕车最厉害的,他扼制呕吐的办法是不停地高声唱歌,多年之后他回忆这一段经历时说,我当时真的是唱一路山歌给鸟听。

他们住在西北工业大学的招待所。各自带的行李没有派上用场,校方的接待安排还算舒适,管吃,管住,伙食也过得去。他唯一的不适应是找不到大便的地方,门口明明挂着男厕所的牌子,走进去却见不到"蹲位",等有人终于从"柜子"里开门走出来,他仍迟疑着不敢相信"柜子"里洁净的"瓷盆"是供人"泻私愤"的地方。事后，他又紧张地逃回寝室，唯恐管理人员找他的麻烦。在西安的几天时间里他抽空暇单独去了一趟钟楼，从老家出来的时候，邻居叮嘱他一定要去看钟楼，告诉他那是西安城的标志。他步行一个多小时，打问了四五位路人才走到这座明代建筑跟前，他的心一下子被慑服了。钟楼平地耸起，宏伟而高大，仰头看楼顶的时候，不小心草帽从头顶脱落，他慌忙弯腰去捡，一阵风又将草帽吹起，几个起落之后，他就不再顾及草帽，而是专心仰头眺望钟楼的尖顶。在大自然的无意安排下，这个十三岁的少年，在一个烈日炎炎的午后，就这样对钟楼行了脱帽礼。

贾平凹从十三岁那一年草帽遗落在钟楼脚下的时刻起，就注定了和西安这座古城结下了解不开的缘份。

贾平凹的小学阶段是在庙里度过的，这不是因为他的缘心沉重，而是当年的棣花小学就办在一座庙里，庙叫法性寺。多年之后，他念念不忘这段奇缘，他不止一次地向我描述破旧的山门，以及木格子的窗棂如何安装不上玻璃，即使是阳光明媚的日子，"教室"里也是昏蒙蒙的，若是阴雨天气，全班学生便不可避免地要"韬光养晦"了。他说得最多的是墙上的壁画，画是残缺不全的，且失了颜色，唯一看清楚的是一头牛，牛的身下有一个少年，不知是在放牧还是在找牛奶喝。他在长篇小说《废都》中极尽心神地创造了一头城市中的奶牛，送牛奶的人每日牵着，让订户按量吮着牛乳喝。我曾问他这头奶牛和法性寺墙上的那一头牛是否有姻连，他笑着告诉我："这是天机呀。"

贾平凹的老家叫棣花，就是《诗经·小雅》中"常棣之华"的"常棣"，这首讲手足之亲的诗他记得很熟。我去过他老家两次，一次是给他老父亲迁坟，另一次是他的伯父病逝，陪他回乡奔丧。他的父亲贾彦春作了一辈子的山区教师，先教小学，之后教中学，1967年莫名其妙被戴上了"历史反革命"的帽子，遭到沿街批斗，这无辜的罪名虽然在1972年底得到了平反，但天外横来的人身污辱再加上累积的生活之苦，严重影响了他的健康，致使中年早逝。贾平凹在他父亲去世后的第三十三天，即民俗中的"五七"之前，写过一篇《祭父》的散文，这篇如泣如诉的祭文让太多熟悉的和陌生的读者流下过泪水。这篇文章的开始是这样写的："父亲贾彦春，一生于乡间教书，退休在丹凤县棣花，年初胃癌复发，七个月后便卧床不起，饥饿疼痛，疼痛饥饿，受罪至第二十七天的傍晚，突然一个微笑而去世了。其时中秋将近，天降大雨，我还远在四百里之外，正预备着翌日赶回。"

父亲的去世，给贾平凹的打击很大，至少有几个月的时间他没有从悲痛中脱身出来，他悲哀的是父亲劳碌了一生，受的苦多，享的福少。几年后，他给父亲迁坟也是无奈中的事，一条高等级的公路横穿棣花而过，这本是一件于家乡发展的好事，但路基傍坟墓太近，九泉下的父亲不得不"搬迁"，事后贾平凹泪流满面地说："我父亲的命太苦了。"

贾平凹是家里的长子，但在家族大排行中是老八，他是孝子，对待伯父母如对待自己的父母，当接到伯父去世的电话，甚至顾不上回家换衣服，直接从单位叫了车就走。西安到丹凤县的棣花，一路秦岭，不足400里的路程，我们却走了近6个小时，进到伯父家，他一头便跪到灵前，泣不成声。我在佛前是见过他进香下跪的，但屈膝前，他一般先要整整衣角，在他伯父灵前，他几乎是一下子就扑下去的。过后贾平凹向我讲了一个细节，他父亲是兄弟四人中的老小，为了供养父亲读完中学，三个大伯从几十里外扛木头回来，为了第二天再扛到20里外的集市上能卖个好价钱，成半夜在院子里用石槌砸木头的大小截面，父亲就是在"咣咣"的响声里读完中学的。

实际上，贾平凹的中学生活只有两年多一点的时间。1964年入商洛镇中学，到1967年他父亲被定性为"历史反革命"，父亲在学校和镇的大街上遭批斗，他被迫中止学业，回乡务农。这一年，他年仅14岁。

如果说到遭遇，贾平凹恐怕是当代作家中"经历"最丰富的一位，从1978年获首届全国优秀短篇小说奖算起，他头顶上的光环始终有两种截然对立的色调笼罩着，即赞美和批评此起彼伏，交相辉映，1978年，年仅26岁的贾平凹，以《满月儿》获首届全国优秀短篇小说奖。这是他摘到的第一颗果实，去北京领奖的时候，他见到了许多他心仪已久的老作家，并和其中的多位一起站到领奖台上。在北京的几天，他特意戴着从"瑞福祥"老店买的一顶当时非常时髦的鸭舌帽，以遮掩年轻的额头，这顶帽子从北京回来后就放进了箱子底，从此再没见他戴过。1979年至1982年，他又获得了另外两个重要的奖项，"《十月》杂志首届文学奖"和陕西省首届"优秀图书奖"，这三年间，他一共出版了五本书，《姊妹本纪》（安徽人民出版社1979年）、《早晨的歌》（陕西人民出版社1980年）、《山地笔记》（上海文艺出版社1980年）、《贾平凹小说新作集》（中国青年出版社1981年）、《野火集》（陕西人民出版社1982年），如果再算上1977年中国少年儿童出版社出版的《兵娃》，26岁之前，已有6部小说集的进项。与此同时，他的小说创作引起了文坛评论界的特别关注，《文艺报》在1978年的5月份刊登了两篇关于他的文章，《生活之路——读贾平凹的短篇小说》（邹荻帆）、《关于贾平凹和他的小说》（胡采）。程德培在《上海文学》，丁帆在《文学评论》，阎纲在《光明日报》，孙犁在《解放日报》，费秉勋在《延河》杂志都相继发表了针对他作品的专题研究文章。这在当时是绝无仅有的。在当年的国内文坛，他成了一颗新星，耀眼夺目，而且茁壮地冉冉上升。

但好景不长，接下来就遭到了批评和指责，起因是1981年发表在《长城》杂志的一篇小说《二月杏》。这是一篇写地质队员野外生活和爱情的小说，其中的爱情描写被认为"违背生活的真实"。《长城》杂志发表《对〈二月杏〉的批评意见》（1982年第3期），《工人日报》发表《揭出病苦应是为了疗救》（1982.3.26），《中国青年报》的态度在当时是客观和积极的，刊出了一条对他颇有帮助的新闻稿件——《〈二月杏〉发表后受到批评，贾平凹走出门听取意见》（1982.6.17）。《二月杏》是他喝到的第一杯苦酒，这杯酒虽不多，但度数高，上头快，因此在1982年全年他情绪消沉，袖手垂眉。《二月杏》事件的可怕在于当时的文学评论不是就作品而作品，它像落入水中的一颗石子，"扑嗵"一声闷响过后，水面的涟漪一圈一圈向外波散。接下来以《鬼城》（《花城》杂志）为代表的几个短篇小说在两场现在看来非常滑稽的"清除资产阶级精神污染"和"反自由化"的争论中成为"焦点"，在1984年，一个月内曾有七家杂志发表批评他创作倾向的文章（后来有专家称那场争论事实上是在"污染精神"）。1983年和1984年，他作为靶子被反复摆进了"练兵场"。

1982年至1985年他集中精力转入散文写作，出版了被评论家称赞为"三迹"的三部散文集，《月迹》（百花文艺出版社1982年），《爱的踪迹》（上海文艺出版社1985年），《心迹》（四川文艺出版社1985年），《爱的踪迹》后来获全国首届散文集奖。写于此间的他的标志性散文作品是《商州三录》，遭到批评和指责后，他从西安回到老家，用了两个月的时间，把商洛地区的七个县用脚丈量了一遍，《商州初录》《商州再录》和《商州三录》三个长篇写实散文，一改当时散文写作以"痛说文革苦难"为主调的散文文风，散文写作开始关注现实生活，这三篇文章在当年引来了一片喝彩声，并以此奠定了他在国内散文界的地位。他的这三篇文章发表后，给家乡带来的好处是商洛知名度迅速提升，后来商洛地区由地改市，名称也便叫了商州。他是爱家乡的，家乡的人也是以他为荣，有一年过正月十五，我看过一台来自他家乡的"社火"。这种民俗表演一般是以历史人物或神话传说人物为主的，一支几百人的队伍抬举着诸葛亮、关公，乃至玉皇大帝的塑像，闹然过市。在这支队伍的最中间，我突然见到一个七八岁的孩子扮成他的样子，穿着风衣，戴着鸭舌帽，站在一根几米高的铁芯子上，孩子身后背着厚厚的一本模型书，书上写着三个大字——贾平凹。一位朋友用照相机把这个场景拍了下来，当把照片送给贾平凹的时候，他立即泪流满面，哽咽着说不出话，过了好久才低声说了一句："我还没给家乡做过什么呢。"

1984年和1985年，是他创作的丰收年景，除了大量的散文作品外，还写出了近20部中篇小说。《腊月·正月》《小月前本》《鸡窝洼人家》《天狗》等被列为当代文学作品优秀长廊的小说就是在这期间完成的。《腊月·正月》获全国优秀中篇小说奖（1984年），《鸡窝洼人家》《天狗》等作品被改编成电影和电视剧。贾平凹后来解释自己在这一阶段为何创作精神如此强健时，笑着打了一个比方："我是属核桃的，要砸着吃呢。"

从1987年，他开始了长篇小说写作，到1988年出版了三部作品，《商州》（北京十月文艺出版社1987年），《浮躁》（作家出版社1987年），《妊娠》（作家出版社1988年）。这一时期的长篇小说，总的说来，似乎没有摆脱中篇小说的格局，我个人以为仍是长一些的中篇小说。这种观念他个人不一定接受，但我是这样看的，虽然《浮躁》获美国美孚飞马文学奖，这部书的前半部气韵贯通，但后半部有松懈之嫌。举一个例子，有点像那种"出手并不脱手的飞碟"游戏，飞碟出手之后在半空划一个弧，还应再收回手中，但这部小说的结尾处有脱手之累。

1993年应该是他一生中最重要的一年，这一年，给他带来巨大光荣和诋毁的《废都》出版了。这部书创造了两个奇迹，单本书的盗印本最多，截止到今天为止，他自己收集到的盗印本有近七十种之多，另外的奇迹是单本小说的印量最高，正版和盗印版已近千万册。无论如何评论，这部书都应视为一部大书，它再现了当年知识界的一种颓废气氛。作家马原认为，这是一本写颓废的大书，我是非常同意他这个观点的。这部书才出版他就有了不安的感觉。在送给我的样书的扉页上，他这样写道："这部书易误读，它将大损于我，我泄了什么天机若此。"事后不久，即印证了他的这种不安，北京出版局查禁了这本书，并处罚了北京出版社。《废都》之后，他遭遇了许多非难，甚至人身的诋毁，四十岁这一年，他磨难多多，经受万千。

《废都》获法国费米娜文学奖是1998年的事情了，这次获奖使他在国内的待遇也稍好了一些，官方指责声也渐渐少了，直到今天，也不再有人提及当年查禁的事。这件事回味起来也挺有趣味，泱泱大国，在1993年的时候竟承受不了一本小说。关于《废都》的获奖我是个知情者，由于贾平凹陕西口音浓重，我负责和这部书的译者法国人安波兰女士联系，在奖项揭晓之前，我们接到赴巴黎的邀请，贾平凹放弃的原因表面上说是身体不适，其实他是担心当场落选。那一天晚上，我们两人坐在《美文》杂志社，一边等结果,一边玩扑克。我提议要带赌注,因为没有比等一个未卜的结果更令人心神不安的事情了,开始他不同意,因为打牌他从来是输给我的,结果仍如旧例,他不停地往外掏,两个小时之后,将近九点钟的时候,他才说过"你再赢,这个奖我不要了"的话,我办公桌上的电话就响了起来,在电话的另一端,安波兰女士在颁奖现场激动地说:"在五部小说中,《废都》胜出获奖。"听到这个消息,贾平凹却出奇的平静了,他说:"我们继续玩吧。"但接下来,牌局的势头就倒向了他的那一边,我之前的收入不仅如数倒流,还稍有亏空,最后,他用我的钱请我去大街上吃了一顿小吃。

费米娜文学奖是法国的一项重要的奖项,已有100年历史了,开始时仅是一项法国国内的文学奖,设立外国文学奖始于上世纪50年代,迄今为止,贾平凹是获取此奖的唯一一位亚洲作家。这项奖项因评委皆为女性,又被称为女评委奖。这项奖事一直受到法国政府的重视,贾平凹获奖后,法国文化部长和驻华大使分别给贾平凹发来了贺信和贺电,法国驻华大使专程到西安向他表示祝贺。2003年,法国文化部又授予他"法兰西共和国文学艺术最高荣誉",法国文化部长Jean-Jacques Aillagon和法国驻华大使Pierre Lafon发来贺信。

法国文化部长的贺信是:

贾平凹先生:
我很高兴地告知您将被法国文学艺术评奖委员会授予文学艺术最高荣誉。这次颁奖是法兰西共和国文学艺术评奖委员会举行的第四次颁奖,也是法兰西共和国最高的荣誉奖之一。这项荣誉是授予那些在文学艺术领域作出创造性贡献的人或是给法国文化以及整个世界带来光芒的人。我向您表示诚挚的祝贺,并请您同意,同时向您表示我最美好的心情。

Jean-Jacques Aillagon

法国驻华大使的贺信是:

贾平凹先生:
我很高兴通知您,法国文化交流部部长Jean-Jacques Aillagon先生将颁发法国文学艺术荣誉奖给您。这项荣誉奖是法兰西共和国最高的荣誉奖。这项荣誉是授予您作品内容的丰富多彩性与题材的广泛性。您的作品在法国影响很大,特别是您最优秀的小说《废都》。我向您表示最诚挚的祝贺,并请您同意,表示我最美好的心情。

Jean-Pierre Lafon

在《废都》之后,他又先后出版了五部长篇小说,分别是《土门》《白夜》《高老庄》《怀念狼》《病相报告》,三部散文专著《我是农民》《西路上》《老西安》,基本上每年一本新著作,可见他的性情确如他所比方的是个核桃。

细算起来,贾平凹的第一个人生挫折是在1970年,那一年他报名参军,因为是"平板脚"而在体检时遭淘汰,到今天我都怀疑"平板脚"是一种托辞,招兵的首长心地善良,不忍说他身高不够这一事实,他现在的身高是1.62米。即使当年就是这个高度,如果不征召执行特别任务的"特种兵",他是很难入伍的。

从1967年到1970年,他回乡务农,由于年龄偏小,分工都在女子组,得的也是半工分,为此他常常气馁。1970年参军落选之后,他报名去了水库工地,他当时一心想的要干男人的活。但到工地上,却被分配去刷标语,每天提着白灰桶,爬到半山腰写"水利是农业的命脉"这一类标语,每个字硕大如他的身高。在水库工地的四面山上,他用两个月的时间写了五条标语。之后,他承担了水库战报的编辑工作,从撰稿,编排,刻蜡版,印刷,到发行分送都是他一个人干。每期报纸出刊后,他还要在喇叭里广播其中的重要部分,领导通知、口号、还包括他创作的诗歌。在其中的一期报纸上,我读到了他当年的一首诗:

月亮升起来了,

发着柔和的光。

山风吹动了我的衣裳,

我掏出笔写下了我的衷肠,

四周的山这么荒凉,

银河遥远苍茫,

水库修好了我到哪里去,

丹江无语默默流淌。

诗中流露的情绪显然和工地热火朝天的气氛是不融合的,在今天对贾平凹文学创作的批评中,有一种观点是这样的,"贾平凹没有写出一部像样的主旋律的作品"。这份叫《苗沟水库战报》的报纸一直存在到他被推荐去西北大学读书为止。我是负责《美文》杂志具体事务的副主编,每当我报怨辛苦时,他就给我讲述当年他编办《苗沟水库战报》的经历,每次结尾时都要附这么一句:"你现在不用刻蜡版了,比我轻松多了。"

在棣花,距他家老屋五十米的地方并存对峙着两个古庙,间隔仅几米,东面的是关帝庙,西面的是二郎庙,这两座庙是宋代的建筑,是当年金人南侵,大宋北御的见证,金人修二郎庙以祭神,宋将建关帝庙以告天,两座庙的修建是同一年完成的,一种说法是二郎在先,另一种说法是关帝打头,但不争的事实是两座庙同时存留下来,并没有因为某一方的得势而另一个遭毁,由此可见,当年的人在神灵面前均是心存敬畏的。这两座庙是贾平凹小时候经常游耍的地方,现在文物部门经过精心修葺,古风依然。原来庙门的额题是民间艺人的,字迹草率,且剥落失形,整修之后由贾平凹恭书,质朴遒劲的字既笼罩着两座庙宇,也照耀着贾平凹的童年生活。

贾平凹的书法造诣是不低于他的小说写作的,但他给庙宇题字是慎重又慎重的,他认为给庙宇写字等同于敬一炷长香,不仅造次不得,而且要心有敬畏。1993年6月里的一天,我和他应邀去柞水县,柞水县是秦岭山中的资源大县,因为柞树丰茂,水流清秀得名。那里山重水复,民风淳厚。山上有板栗,木耳,银耳,猴头菌,青冈木,以及一望无边际的柞树,在森林中间,生活着大熊猫,小熊猫,羚牛和羚羊。柞水有一个天工造化的溶洞,溶洞中有天然的百佛像熠熠生辉,在溶洞的对面耸有一座庙,当地的领导请他为庙的山门题楹联,他极认真地应承下来,晚饭后先洗了澡,之后才写得:"看两峰守一烛你守你身,拜一佛祛百烦我拜我心"。三天后,他觉得不妥,又重题为:"两峰守一烛你守你身,一揖拜百佛我拜我心"。

贾平凹的作品我读得越多,越清楚地感到他创作的无法穷尽,他的内心是异常丰富的,读他的作品是一回事,但要理解他的作品所展示的一切是另一回事,他表面平静安详的语言后面,隐喻着"激荡不安,似湍急的水流那样滚滚流去的生活"。他是复杂的,心灵深处的一些细节甚至常常是极端的,他的可贵在于是用平和的态度去展示这种极端,只要他自己不停笔,只要没有大的势力强迫他停笔,他还会给我们的文学生活带来撞击,甚至风暴。

贾平凹有四部长篇小说在出版之前先发表在上海的《收获》杂志上,从《浮躁》开始,《高老庄》《怀念狼》,再是2005年的《秦腔》(另有一部长篇纪行作品《西路上》),本来应该是五部小说的,那一部是《土门》,因为发生了一场意外,《收获》杂志撤了稿子。事情是这样的,贾平凹把稿子给《收获》时,告知单行本的出版权将交给"布老虎丛书",希望两家出版单位协调好出版时间。两家单位沟通后约定同时出版上市,后来单行本提前近一个月出版了,《收获》杂志就临时撤换了稿子。贾平凹作品的市场效果很好,可能换了另外的作家也不会发生这种抢出版时间的事。《废都》是刊登在《十月》杂志上的,1992年底,已经快过年了,贾平凹在西安郊区将修改了三遍的手稿拜托评论家白烨带给《十月》杂志的副主编田珍颖。《十月》杂志和北京出版社是一家单位,杂志出刊后,单行本也相继来问世,但接下来就发生了众所周知的《废都》事件。有人说,如果当初《废都》不是在北京出版,而是换在其他的城市可能贾平凹遭的难过要轻些。我倒不是这么看,条条大道通罗马,命里注定有的劫数怎么会逃过?

《收获》杂志对贾平凹的文学创作一直是认真对待并给予很高尊重的。1999年《高老庄》发表后,《收获》杂志邀请几位有影响的南方评论家聚会西安,和贾平凹开诚布公地交流了两天,评论家们都是坦陈己见,不是开会,而是坐谈,大家坐在一起以朋友方式交谈。这种方式给贾平凹留下极深的印象,一本文学杂志给予作家最大的尊重就是认真对待他写下的作品。《秦腔》在《收获》杂志2005年1、2期连载后,3月25日,《收获》杂志联合复旦大学当代文学创作与研究中心和《文学报》,在复旦大学召开了"贾平凹作品学术研讨会"。会议时间不长,仅是半天时间,但规格高,上海几所大学知名的文学批评专家悉数到场,复旦大学中文系主任陈思和先生主持会议。当天晚上,贾平凹又应邀给复旦大学的学生作了一场互动式的演讲。学生们提问题,贾平凹回答,全场气氛轻松而热烈,那天晚上一直以木讷见长的贾平凹的口才发挥得淋漓畅快。他的超水平发挥也是被学生们的热情鼓舞出来的,演讲的组织者原定了一个三百人的会议室,演讲是7点30分开始,但不到6点钟就已经人满为患了,为避免出异端,组织者把地点换成了一间五百人的大会议室。即便是这样,偌大的房子仍挤得满满的,不仅座无虚席,走廊,过道,包括演讲台的两侧,也站无虚席。7点20分,上海作家协会主席、复旦大学当代文学创作与研究中心主任、著名作家王安忆和贾平凹进会场的时候,大门已经被锁起来了。王安忆告诉一脸紧张维护着秩序的保安说:"要放这个人进去,他是贾平凹,今天晚上是他演讲。"

《秦腔》全书40万字,2003年春天开始动笔,到2004年9月写出初稿。初稿差不多有35万字。第二稿又增加了5万字,已接近了现在成书的规模,之后又经过了三稿和四稿的修改,但只是局部的调整。初稿和二、三稿全部重写过,第四稿只作了细处的修订,没重新写。如果细致统计的话,这部40万字的书,他共计手写了115万字。贾平凹手拙,不会用电脑,他是彻头彻尾的手艺人,这些字是他一个一个写出来的。这部书他写得苦，开始的构思过程苦，写作过程中进行的也苦，整整一年零九个月，除了一次因感冒住院，他没有连续地休息过三天，而且住院的那三天，也是医院强迫着不让回家的。我读的是这部书的第三稿，2004年11月29日，他给我书稿的同时还附着一封信，结尾的一段是这样的："此书稿耗尽了我的精力，写得这么久，改得这么多，从来没有。我对农村十分痛苦，为我的父老乡亲悲凉。书中人物，差不多是我的长辈和同族人的事。我相信此书稿是好的，只是担心将来故乡有人骂我，但我对得起我亡去的父亲和伯父。我在写后记。"

《秦腔》是一部呈现多义性的书，写到了政治，但不是政治书；写到了风物民俗，但不是民俗书。这部书是真的文学，写透了当下农民生命与生存的悲凉。

人是伟大的，又是卑微的，这是宿命。人怎么活着和死是一种宿命，人一生干什么事是另外的宿命。比尔·盖茨不做电脑成不了今天的比尔·盖茨，如果毛泽东一辈子留在北京大学图书馆，今天我们的国名可能就不叫"中华人民共和国"了。一个人一辈子能达到自己潜在能力的最高点，就是要去干自己宿命里的事。贾平凹的宿命就是写作。他的一个朋友曾经这么调侃过他：假如你没有到西北大学读书，假如你不从事文学写作，假如你一直在你的老家丹凤县棣花村务农，凭借你的不扬外貌和谦逊身材，很有可能到今天还没有娶上媳妇，即便有幸娶上了，也要被村长长期霸占着。

由一本文学史著作引出的七个话题

坐船和吃饭

诸位都是读书多的人，是博士研究生。我念的书少，念书少的人见念书多的人，是小个子见高个子，心里怯着呢。但话还得说，为了不太露丑，我围绕着一本书说，这本书是李浩先生的《唐代三大地域文学士族研究》，我说说读这本书的看法，也谈谈由这本书而产生的一些想法。

读书是坐船。船有两种，一种是游船，一种是渡船。消遣书、休闲书是游船。坐游船的目的是休闲，是娱乐。坐渡船就很实际了，要有一个清晰的彼岸。如果你的目的地比较近，只是从河这边到河那边，这个船可以简陋一点，弄个竹筏都行。但如果你想跨过太平洋，或者远赴南极，这个船就复杂了，船体的结构要完整，船身质量要过硬，要抗得过台风，航海经验，包括导航技术更要扎实，要确保避过暗礁一类的危险。

读书也是吃饭。

吃饭有两个目的，一是长身体，二是能干活。日常生活里的一些粗话指的是前者，如混吃等死，酒囊饭袋，吃货，饭桶，光吃不练。吃饭的主要目的是能干活。廉颇当年展示自己还能干一番事业的方式，就是多吃，在赵王派来的使者面前一口气吃了十斤肉，一斗米，然后提刀上马，但那个使者是被廉颇的对头贿赂过的，回禀赵王说，老将能吃，但"一饭三遗矢"。廉颇将军奉献余热的心思就这么被终结了。

读书还要注意消化，不加选择地吃了一大堆，弄个消化不良会拉肚子，还不如不读。

读书是充实自己，要能吃能干，读到肚子里书要发挥作用。寺庙藏经阁里的虫子吃书多，而且吃的都是经典秘籍，但连身体都长不大，因此叫作书虫。郑板桥说过一段很有名气的话："学问二字，须要拆开看，学是学，问是问。今人有学而无问，虽读万卷书，只是一条钝汉尔。……读书好问，一问不得，不妨再三问，问一人不得，不妨问数十人，要使疑窦释然，精理迸露，故其落笔晶明洞彻，如观火观水也。"

让读的书发挥作用，也有两个指向。首先要改变自己的人生，洞房花烛夜，金榜题名时，古人这句话就是这层意思。把书读好了，中举人，作进士，得状元，荣耀门楣。但举人进士状元之后，真正的人生才开始，接下来要融入社会，要付诸实践，古人还有另外一个词，叫书生报国，要为社会，为国家多做有益处有功德的事情。

带着问题读书

孔子在上个世纪被集中批判过两回。第一回是世纪初的"打倒孔家店",第二回是七十年代的"批林批孔"。自从汉代儒学被立为国学以来,只有上个世纪,往孔丘老先生脸上大规模地抹泥抹黑。七十年代的批林批孔最滑稽,是往孔老汉脸上抹屎。把孔子和林彪放在一起批判,是滑中国历史之大稽。林彪这个人很不简单,但他们两位不能放一起。当年批林彪的时候,其中有一条罪状,林彪说读毛主席著作,要带着问题去读。这句话被当成污蔑毛泽东思想。

其实这是一句很中肯的话,全国各行各业的人,要结合自己的工作实际读毛主席的书。工作中遇到的一些问题,你自己解决不了,去读毛主席的书,用毛泽东思想帮你解决问题。

带着问题读书是会读书的人。一个人脑子里一片空白,或一团糨糊,怎么可能把一本书读好。前面说到了，读书是坐船，一个人心中没有明确的目的地，没有一个清晰的彼岸，你去坐哪一条船？只能把渡船当游船坐了。

读书不能什么都读，也不一定越多越好，就像吃饭，吃饱了就行。也不要什么都吃，要对胃口，要会选择。郑板桥还说过一个准对联，很形象，"《五经》《廿一史》《藏》十二部，句句都读，便是呆子；汉魏六朝、三唐、两宋诗人，家家都学，便是蠢材。"苏轼说过，要写出一流的文章，要背熟三本书，《孟子》《庄子》《史记》。金圣叹的书单是六本，《庄子》《史记》《离骚》《西厢记》《水浒传》《杜甫律诗》。他们二老都是以写好文章为前提说的。我们看一下《唐代三大地域文学士族研究》里涉及的书目：《史记》《汉书》《宋书》《魏书》《隋书》《旧唐书》《新唐书》《禹贡》《山海经》《水经注》《吴郡志》《吴地记》《嘉泰会稽志》《唐两京城坊考》《河南志》《关中胜迹图志》《唐方镇年表》《元白诗笺证稿》《国史大纲》，等等。涉及的书还有不少，我不再念了。

这些书突显着两个亮点：

一、这些书都是服务于《唐代三大地域文学士族研究》这本书的，是为了写好这一本书去读的，下的功夫很细，很具体，很深入。而且每一本书指向都很清晰，繁而不乱。有一个常用的词叫繁荣，是形容社会状态的。这个词的意思要研究，乱糟糟没有秩序感，不叫繁荣。农民种棉花、玉米，出苗后要间苗的，要拔掉其中的一些，要保持苗与苗之间的株距和行距，要确保每一棵都能充分生长。苗在接下来的生长过程中，如果"长疯了"，还要控制长的势头，不能一味的长"身体"。种庄稼的目的是打粮食，一棵棵苗都长成傻大个子，营养都给了身体，看着好看，但影响粮食产量。这也是光吃不练的一种。我们如今流行说社会繁荣，经济繁荣，文化繁荣，真的做到繁荣了吗？其中的秩序感清晰吗？现在时兴一句话叫"调整经济结构"，想一想这是什么意思？

二、这些书基本上都是"原材料"，所谓的"理论"书很少很少，好像只涉及了两三本古典文论著作，我记得不太清了。好酒都是用原材料，用粮食酿出来的，勾兑的酒不好喝。

如今网络上有一个词，叫"学术地沟油"。指的是从国外"学术市场"上，或角落里搜找过来的一些东西，东一家弄点西一家弄点，勾兑在一起，这类"集大成"的东西不要说价值与品质，最起码的东西都够不上。我服气李浩先生的这本书，一是他下的扎实功夫，二是他严谨的学术态度。

李浩怎么读《隋书》

《隋书》很重要。《隋书》是中国古人调整"著史方法"之后的一本重要的书，也是李世民"亲自抓"的一本书。在此之前，史书是由史官写，由一个人写。《隋书》是集体创作，由"史馆"组成写作班子，分工负责而成的。由"史官"转而"史馆"的利与弊，李世民为什么这么干？我接下来还会专门谈。

《唐代三大地域文学士族研究》有一个专门章节，是探讨《隋书》的。他读书的方法有两点值得我们学习。

第一点是不卖弄。我念一下这一章开头的半句话："《隋书》是唐初史家所修撰，而又由朝廷重臣监领"。

这半句话里，藏着很多东西，也回避了不少东西。

《隋书》是集体创作的。政治、经济、军事、天文地理、民生民风民俗、文学音乐书画都要具体呈现。主持和参与修撰的都是大腕和达人，主要人物有魏征、孔颖达、许敬宗、褚遂良、令狐德棻、长孙无忌等。照今天一些学人写文章的方法，谈《隋书》，要先说说这几个人，这些人都是重要"谈资"呀。但李浩先生不著一字，洗尽铅华不著妆。李浩先生为什么不著一字？我们可以想象，可以评估，也可以推测，但不要乱推测。

我个人是这么推测的。唐之前的史书，有两个目的，首先是制约帝王的言行，再是传诸后世。史官记写国家大事或帝王的言行，帝王本人是不能看的，这是严格规定，是天条。关于《隋书》有一句总评，叫"书成进御，文笔严净"，这本书的主要读者变成了当朝皇帝。一本书的读者朝向哪里，是决定这本书的走向的。"以史鉴今"，也是唐朝人提出来的，但怎么鉴？鉴什么？其中机关重重，门道甚深。李浩先生那半句话，只是告诉我们，那个房子里有很多门，你们自己瞧着进吧，门我就不多说了，因为我这本书也不是写门的。

第二点应该学习的，是对材料的选择，或者叫取舍功夫。

大厨师和一般厨师，使用的材料都是差不多的，鱼呀肉呀菜的，区别在于对材料的认知和选择。刀工和火候是可以锻炼出来的，但怎么认知怎么选择需要一点天赋。

《隋书》85卷，帝纪5卷，志30卷，列传50卷。李浩先生取的是《文学传》《儒林传》和《地理志》。《隋书》整本书都写得好，多项指标都很硬梆。这三部分是《隋书》里写的突出的，虽然不能说是最好的，但显示着"文笔严净"那句话。

这三部分"书成进御"的心思也不甚明显，没有明显地讨好领导的心思和意图。

李浩先生这一章的题目叫"《隋书》中的文化地理观"，这三部分也是集中讲这些内容的。这一章里，我建议大家留心"土壤之殊与政教之移人"里的一些认识，还有结论部分的第二条。

事关唐朝的三个问题

我读李浩先生这本书的过程中,想到了三个问题。

1、皇帝攀亲。

"穷居闹市无人问,富在深山有远亲"是一句老话。普通人都是俗人,皇帝也不免俗。李世民攀老子为祖上,御封"太上老君",奉他的著述为《道德经》。奉《庄子》为《南华经》,《列子》为《冲虚经》。他这个行为有一个伟大的地方,也是李世民这个皇帝伟大的地方,之前很多皇帝,不认为自己是爹生娘养的,是天生龙种,是天之子。比如刘邦,《汉书》第一卷第一段就明文写着他不是人,"母媪尝息大泽之陂,梦与神遇。是时雷电晦冥,父太公往视,则见交龙于上。已而有娠,遂产高祖。"班固老爷子手笔真厉害,天龙成就高祖刘邦的那个爱情时刻,是刘邦的爸爸亲眼见到的。

李世民的伟大之处,在于他把自己当人看,这样的领导容易做到以人为本。明代的朱元璋也学习李世民攀亲，他攀的是宋代的朱熹。宋代的大儒中，朱熹并不是最好的，陕西"关学"鼻祖张载就不在他之下。这可不是我说的，宋朝人当时是这么看的。张载是进孔庙奉祀孔子的，他那句名言"为天地立心，为生民立命，为往圣继绝学，为万世开太平"，多了不起。朱熹被朱元璋攀亲之后，他集注的四书，就成了明朝科举考试的标准答案，朱熹跨朝代，由宋朝而成了明朝讲师团团长。

我们今天也流行"攀亲"，而且把这类事当繁荣文化去做，流行的话叫"打文化牌"。众所周知，黄帝陵是在陕西的，有的省则重金"打造"黄帝出生地，有的省去攀炎帝，有的攀王公大臣，攀诸子百家，乃至小说里的人物也揪出来攀一攀。故里之争，埋葬地之争，此起彼伏。发掘历史文化是好事，但要有尊重的心态，打牌的心态不对，打牌是游戏。

2、由史官而史馆。

文天祥有一句诗，"在齐太史简，在晋董狐笔"。一句诗，涉及四个史官，齐国的一门三兄弟，还有晋国的董狐。这四个史官是史家的楷模，骨气甚至在司马迁、班固之上。唐朝之前，国史由一个人写，叫史官，史官类似爵位，是世袭的。《史记·太史公自序》里有一段话："太史公执迁手而泣曰：'余先周室之太史也。自上世尝显功名于虞夏，典天官事。……汝复为太史，则续吾祖矣。……余死，汝必为太史；为太史，无忘吾所欲论著矣'。"爷俩交接班的时候，声泪俱下。

"孔子作春秋，乱臣贼子惧"的著史传统是李世民终结的。国家的历史由一位史官写改为集体创作，设立史馆。史馆的行政级别很高，由领朝大臣担任实际的馆长，官话叫"总知其务"。皇帝为什么惧怕一个人写历史？刚才说到了，因为以前的规定是，史官怎么记写国事，包括帝王的起居与言行，帝王本人是不能看的，有两句老话，一句叫"君史两立"，一句叫"以史制君"。如果皇帝能看，像《隋书》的编写体制那样，"书成进御"，班固老爷子也不敢那么著笔。

诸葛亮也怕"以史制君"，但他没有李世民高明。诸葛亮的办法是不著史，因此三国中，唯独"蜀无史"。

李世民也有一个惧怕史笔的例子。

贞观十六年四月里的一天，李世民想看看记录他日常行为的《起居注》，遭到了负责述录《起居注》的褚遂良的直拒。当时君臣的对话为：

"卿记起居，大抵人君得观之否？"

"今之起居，古之左右史也，善恶必见，戒人主不为非法，未闻天子自观史也。"

"朕有不善，卿必记耶？"

"守道不如守官，臣职载笔，君举必书。"

我们中国人重视史，在唐之前，史是制约帝王言行的，是防止帝王乱说乱干的。唐之后方向调整了，只提"以史鉴今"，功能由制约改为服务。《隋书》那本书价值很高，因为"集体创作"才是试行阶段，服务皇帝的功能还不太健全。如今的地方志，地方的首长差不多都担当着编撰委员会主任。这样的志，将来有谁会看？

3、唐朝怎么统一？

李浩先生这本书里有个很大的话题，是关于朝代统一的。这个话题不太好谈，因此他也只是点了题。再说这本书也不能放开谈这个问题。

唐朝"安史之乱"之前的统一，存在着多个少数民族与汉民族并存并荣，并突出保持自己民族文化特征的问题。"安史之乱"之后，国家的统一体制都松懈了，很多问题就更加突出了。因此可以说，如何认识唐朝的"大一统"，尤其是"意识形态领域"里的统一，还是有待进一步深究的问题。社会大结构之间的差异产生的东西，我们要仔细思量其中的价值，探讨这些东西，对我们今天文化的多元构建与发展，是很有益处的。

鲁迅先生激赏南北朝时代，他赏识的是什么？读历史读什么？趋势与走向的东西在哪里？大的东西指什么？

宋朝也是南北朝，北宋与辽朝、南宋与金朝。元朝表面上不明显，但实质上很突出，北和南在文化上割裂着。元朝的重要官员中，包括地方大员，有近三分之一的人不能流利使用汉语，身边随时带着"翻译"，与老百姓的沟通都是问题，别的就更别谈了。清朝也是少数民族执掌大业的朝代，事实上清朝是满蒙合作经营的。总体上说，清朝是很重视文化的融合的，皇帝把儒家文化当成立国大事对待，整理出版了三种大书，一是《康熙字典》，一是《古今图书集成》，还有就是《四库全书》。

秦汉和晋朝的走向是东与西，南北间也有，但不构成最主要的问题。南北朝是中国历史一个总的转折点，由东西转向为南北。今天的交融趋势也是南与北。内地与香港和澳门是"一国两制"。一个国家并存着两种国家体制，这是前所未有的东西。还有台湾问题，台湾人参加亚运会，旗子上可以写"中华台北"，但谁要搞"台独"的话，对不起，要消灭了你。但有一点要特别注意，我们今天的南与北，是海洋文明与中原文明，是工业文明和农业文明。以前的南与北是草原文化与中原文化。而且今天的南与北是复杂的，是立体综合的，是基于地球基础上的南与北，其中也藏着东与西。

我们的地域文化意味着什么

这个问题涉及两个词，一个是文化，一个是地域文化。

大约十年前，我听过李浩先生一个专题讲座，是谈文化的，他是给西安市的一堆官员讲的，他那天侧重讲的是文化"用"的那个层面，我记忆比较深。我今天谈的文化概念，是我对他那次讲的东西的进一步理解。在大学里，和诸位博士也从"用"的方面讲，一是避开我的软弱处，我是理论的门外人。另外我觉着，今天的大学好像也流行讲"用"，但就业的层面多一些。"学以致用"那个词，应该再深一点。

乡下有一种人物，每个村子里都有，谁家有婚丧嫁娶的大事，都去请那个人去协调，去统筹。那个人不一定是村长，也不是村里念书最多的人，但那个人有威望，大家都服气，因为他会做事情。"文化"这个词，重点在化，化是化开，是充分融解，是融会贯通。仅有概念和理念，只是个墨疙瘩，不叫文化。

我们的文化传播有典型的中国模式，比如一个文盲村，认字的人很少，但儒家核心里的仁义礼智信，礼义廉耻那一套都很熟悉。"五常"和"四维"这些东西，化得很开。

梁漱溟老先生给文化下的那个定义挺好："文化是老百姓集体过日子的方式"。一个人的性格叫个性，一个区域里人们的集体性格就叫文化。集体性格是什么？比较一下就出来了。山西人和东北人不一样，北京人和上海人不一样，四川人和广东人不一样，山东人和河南人不一样。西藏人、新疆人、内蒙人、广西人这些少数民族特色集中的区域更突出，也更复杂一些。

这是我理解和认识里的文化。

地域文化在中国是大的，大到什么程度呢？我们也去比较着看，北京是首都，但北京人的性格并不涵盖中国其他地方，也盖不住。如今广东很有钱，但广东人能买通内蒙人，把性格卖给他吗？性格这东西是置根很深的，扎根在地域里。江山易改，本性难移。

我们有一句老话，叫"十里不同俗，百里不同音"，指的就是中国文化里差异的魅力。还有一首诗，"君住长江头，我住长江尾，日日思君不见君，共饮长江水"，老百姓的话叫"喝一江水长大的"，这是指文化中共通共融的东西。但往细里想一下，比如长江流域沿线，青海人、四川人、湖北人、湖南人、江苏人、上海人是住在长江上下左右的，他们之间的差异多么的明显。再比较一下黄河沿线，青海人、内蒙人、陕西人、河南人、山东人，他们之间共通的是什么？差异的东西在哪里？彼此能替代吗？

法国小说里有一个词，叫外省人。我们一些学写小说的，也用这个概念，就是典型的不懂中国文化。中国的政治中心在首都，但文化上从来都是遍地开花，群星闪烁。

中国文化第一个灿烂高峰，是春秋战国时期的"百家争鸣"，产生了一系列伟大人物和伟大学说。我理解就是地域文化相互撞击后形成的，那个时期国家林立，最多时有800多个，但总人口相当于今天的台湾，不过两千多万人。当时没有统一的文字，方言又重，交流起来很麻烦，在这样的背景下，群星璀璨的大局面出现了，当时思想界、学术界达到的高度，我们到今天也没有超越。

英国人弗雷泽写的那本《金枝》，也是讲地域文化的。但他有一个大线索，有一条主航道，从源头一路梳理下来。用这样的视角梳理中国文化梳理不下去。我们有长江黄河的东西，还有珠江的东西，还有辽河、黑龙江的东西，还有沿海的东西，有儒，还有佛和道，还有大平原的东西，还有深山里的东西。此外，我们还有传统皇家的东西。皇帝的东西和民间的东西并不融在一起，这也是我们中国的特色，就像饮食，有宫廷菜，还有地方名菜，而且地方菜系比宫廷菜丰富多了。

我念过几本美国人写的文学史的小册子，一本叫《1890年代的美国》，一本叫《流放者归来》，一本叫《伊甸园之门》，这几本书是按时间为阶段顺序写的。写中国的文学史，用这样的视角也不太方便。李浩先生这本书里有一句话，"人地关系是历史演进中的基本关系"，这句话很重要，是他的学术心得。

西方的文化是一条河流，基督的东西是主流。我们不是河流，有点类似植物园，品种各异的一棵棵大树林立园中。用观察河流的方法观察植物园，存在着视角的问题。

这本书叫《唐代三大地域文学士族研究》，这样的视角就是基于中国文化特征的。

双轨制或三轨制

我们的文化主特征是植物园,一棵棵大树彼此影响,也彼此独立,彼此间的区别和差异是最大的魅力。如果硬说成河流也行,但这条河流不是流向远方的那种,而是一个完整的内循环系统。

我们文化的另一个主特征就是脱节,雅和俗双轨并行。

举例子说吧。

我们在哲学审美上讲究大音希声,大象无形,讲究静,隐,淡,定,讲究空灵无限。音乐上有丝竹乐,绘画上有中国画。这是文人境界里的高雅。相对应的是俗,老百姓家里是挂年画的,婚丧嫁娶的仪式上不用琵琶古筝,用唢呐。而且不仅仅老百姓,皇帝住的房子雕梁画栋,着装是大红大紫大黄,繁华绚烂。从审美层面上讲,皇帝个人可能高山流水,但在大场面上也是下里巴人。

皇帝在政治上是大一统的，但浩荡的皇威也促成了中国文化的各地开花，并且特立独行。比如地方戏和地方饮食，因为"晋京"，为悦龙颜而千万般努力，致使地方特色更加异彩纷呈。

三轨制指什么呢？

上个世纪初，发自"五四"之后，至"改革开放"，西风渐炽，西学成了"先进文化"。一个孩子，名小学名中学名大学之后去了国外，被认为"有出息"。大学教授嘴里不吐出几个半明半白的翻译术语，被认为没水准。国人的婚礼也穿起了婚纱。中国老百姓说的"红白事"，颜色所代表的东西变了。西方人的婚礼穿婚纱是基督文化，结婚时赴伊甸园，婚纱象征着祥云。去天堂要先进教堂，教堂是天堂设在人间的办事处。牧师主持婚礼的仪式是严肃的，相当于办签证。但我们的新娘子穿婚纱是进招待所，婚礼主持人又把中国人闹洞房的一套搬了上去，插科打诨，荤的素的一起来。不信基督穿婚纱干什么？！还有，房地产开发商盖一个楼叫曼哈顿广场，改造一个小山沟叫莱茵河谷。

人是应该进步的，一个国家更应该与时俱进。一棵树要往高大里生长，增加光合作用，加水加肥料都是对的，但应该是借地力和地势自己往上长。有些果树是靠嫁接的办法取胜的，如苹果梨、梨枣那一类，但这种果树的产量是一时的，过几年还必须重新嫁接。

中国文化是一个大植物园，如今这个园子里嫁接的果树可能稍多了一点，而我们自己土生土长的大树、老树被重视的程度远远不够。

史家怎么史

打个不妥当的比方,我们中国历史的胖脸上有四颗痣,很显眼,就在脸的表面。

第一颗,中国历史四千年,华夏文明五千年,这两种说法都是讲我们历史悠远厚实的。但我们的历史是断代史,二十五史,是二十五个大阶段。为什么这么说呢?因为朝代与朝代的延续不是自然顺延,而是革命,是一个推翻另一个,是流血牺牲,基本上都是枪杆子里面出政权,习惯说法叫改朝换代。段落与段落之间,是高级焊工焊在一起的。我们的历史更像一条一环套一环的粗链条。我们有中国通史,但没有中国史通,有秦汉专家,魏晋专家,唐专家,宋专家,等等,整个粗链条太庞大了,打通并理顺其中一个环节就是大学问家了。

历史的这种演进方式给我们带来了什么呢?

我们的历史那么悠久,但留下来的大建筑很少,尤其是皇宫,都让后来者放火烧了。清朝之后是中华民国,是掀开了崭新的一页,开启了新文明时代。如果再是一个帝制,北京故宫恐怕也是保不全的。

我们有二十多个朝代,每个朝代又有那么多王侯将相,如果他们的住处,办公室都保留下来,今天的景象该是何等壮观。但事实是一朝天子一朝臣,不仅朝代与朝代之间是打碎之后重建的。即使在一个朝代里,新皇帝即位,从老子手里接过玉玺,也要推行新主张。不仅仅皇帝,我们可以比照着想一个现实问题,今天的一个科长处长,履任后对前任科长处长的作为,抱着什么样的心态?很少有在原基础上继续踏步前进的,他要实行"新政"。他没有"新政",下属和同事也会认为他没有水平,没有"新东西"。什么叫文化的劣根?什么叫文化的阴影?这些东西都是大问题呢。

第二颗,我们历史的顺序是这么排列的,从三皇五帝一路下来,一直到唐宋元明清,这是用的归纳法。在实际上,我们中国人打量历史,不走这个规律,而是使用演绎法。老百姓有两句话,一句是"三十年河东,三十年河西",另一句是"五百年出一个真龙天子"。

这两句话很重要,是中国人的大智慧。比如第一句,我们具体算一下,1919年到1949年是三十年,1949年到1979年是三十年,1979年到2009年是三十年,其中的变化都是巨变,是本质在变。第二句话我就不说了,犯忌讳。

第三颗,唐之前由史官著史,唐之后由史馆修史。史官时代因史官个人才学修养,乃至视角视野的不同,史有高低起伏之憾。史馆时代因为"书成进御",史又存在着真伪虚实之患。历史是人的历史,人的觉悟和政治觉悟是两回事,但皇帝是要求政治觉悟的,把历史政治化是不完整也不完备的。

第四颗,著书的人多为儒士。汉以降,儒学是国学,是大学。对佛和道两门普遍存在着表述不充分的缺憾。像对待另一个单位的领导,敬而不亲,甚至根本不放在眼里。佛和道,与儒学一样,都是融入了中国老百姓血液里的东西,这三种,是中国老百姓过日子最大的三元素。一个人以偏见做事情,危害不至于太大,但以偏见修史,问题就大了。

这四颗痣是我们独有的,是典型的中国特色。

在这样的背景下,产生了不同视角的"史观"。文天祥是古人,"在齐太史简,在晋董狐笔"是一种。今人有"历史是一个任人打扮的小姑娘"一种。海外的学人也是一种,如夏志清说的:"过分的爱国热忱可以令一个文学史家把自己蒙蔽起来"。读着这些"史观"的时候,就觉着治史的方法和态度是一件非常大的事情。

《唐代三大地域文学士族研究》是一部文学史专著,治史方法是新的,是切合中国文化特性和中国文学传统特征的。治史态度是宽容开放的，厘清了一些旧问题，但又可以由此引出许多新的话题。

耳食之言

耳食之言解

> 学者牵于所闻,见秦在帝位日浅,不察其终始,因举而笑之,不敢道,此与以耳食无异。

司马迁《六国年表》里的这段话,是对当时学者治史态度的一种检讨,挺中肯。研究者从表象出发,不重基本材料,不做具体功课,"此与以耳食无异"。这一辑内收录的文字,是我做编辑工作,写在《美文》杂志序页上的"稿边笔记"。研究者治文学,是从文学仓库,从种子中心选材料。编辑看文学问题,是以庄稼地,晒谷场,甚至集贸市场做切入点,虽然有现场感,是第一手资料,但有潮湿气,实与稗也杂芜着,因而亦在"耳食之言"之列。

文学标准和文学生态

  中国的古代文学,是有自己标准的,文学作品和文论作品都是"中国制造"。
  我们的现当代文学,是从白话文写作开始的,以口头语言进入书面语言,放弃文言文,是文学革命,是文学的划时代进步。但有一个基本事实,在文体上,无论小说,诗歌,散文,还是文学批评,向国外借鉴,临摹乃至照搬的多。现当代文学史,说白了,是一部当学生的历史,学东洋,学西洋,学苏俄,还有学习印度和拉丁美洲,作家学,评论家学,大学里的文学教授学,学习态度诚恳,学上瘾了,已经一百年了,仍在矢志不渝。莫言获2012年度诺贝尔文学奖,颁奖辞是:"将魔幻现实与民间故事、历史与当代结合在一起。"莫言获奖的意义,是中国学员里有出徒的了。但莫言的了不起,是以当代中国人的思维姿态立于世界文坛之林,再造了一个文学的高密,实现了他的"中国制造"。其实不仅莫言,当代多位作家和评论家近些年都在致力于探求"中国制造",

如贾平凹和李敬泽等。但就整体而言，文学批评在这一点上稍滞后一些。

我们今天的文学研究领域，有点类似当下的汽车制造业，整条生产线，包括发动机都是进口的，国产货不具规模，多项指标也不过关。我在上世纪八十年代开始做编辑的时候，是在河北省的《文论报》。那个时期，文学创作和文学批评相互呼应，相互砥砺，作家思考的引爆点多来自文学思想界，如今好像脱节着，评论界思想的活力和作家创作的活力不再发生深度撞击了。文学研究和文学批评是给文学定标准，立规矩的，中国文学的根，是中国人的思维方式，是中国人的精气神。裁剪唐装，用量西装的尺子不一定合适。

中国的经济现在是世界的"老二"，但这个评定标准是西方的。进入2011年以后，中国加快了人民币国际化的进程，香港人民币离岸中心，新加坡人民币离岸中心，伦敦人民币离岸中心，上海自贸区的相继开展业务，2012年中国、俄罗斯、美国三家独立评级机构，发起成立"世界信用评级集团"，用以制衡美国标准普尔、穆迪、惠普三大评级机构。这一系列作为，标志着中国正在谋求建立有中国人参与的，甚而是主导的经济标准。

我们的文学批评界，已经到了思考"中国制造"以及中国文学标准的时候了。

文学生态指什么？

和谐社会这个词中的"和谐"两字，是针对斗争哲学而言的。和谐是今天最大的政治。革命意识不再坐第一把交椅了。动植物的生长，有赖于生态。健康的生态，和谐的生态，对人的生活，特别是精神生活是重要的。文学创作是人的精神劳动，如今要迎来和谐的生态了，这是天大的好事。但是，"阵地""战线"这两个词还在使用，在人们的意识里，尤其是领导的意识里，还比较浓郁，这是需要被认识到的。

我们现如今处于改革年代，改革年代是社会转型期，社会状态转型，主要指的是思维方式和思维方法要转变。家里来了强盗，把人逼急了，菜刀也是抵御武器。强盗被赶跑了，菜刀要回到它那个位置上去。用菜刀比喻文学有些不妥，对菜刀对文学都有点失敬。我想表达的意思是，我们已经到了思考正常国家状态下文学创作标准的时候了。比如唐朝，我们习惯称之为盛世，称为大唐。那个时代里的文学是丰茂多姿的，有所谓歌颂的，有所谓揭露的，但更多的是客观表达和表现的。

李渔的「四期三戒」

"四期三戒"是李渔《闲情偶寄》的自序,也是他的文学观。

一期点缀太平。"武士之戈矛,文人之笔墨,乃治乱均需之物。乱则以之削平反侧,治则以之点缀太平。"点缀太平是在治世的基石上挥斥方遒,而不是为乱世、浮躁世作琵琶弟子或曲子相公。点缀太平也不是涂脂抹粉的意思。过太平日子,小心高谈阔论,小心危言耸听,也要小心整天花枝招展的。

二期崇尚俭朴。"创立新制,最忌导人以奢。奢则贫者难行,而使富贵之家日流于侈,是败坏风俗之书,非扶持名教之书也。"俭朴,做为个人的美德已经被认识到了,但做为世道公德的伟大,远远没有被认知。今日之世界,庙堂莺歌燕舞,草野百花斗香。

三期规正风俗。"风俗之靡,日甚一日。究其日甚之故,则以喜新而尚异也。新异不诡于法，但须新之有道，异之有方。有道有方，总期不失情理之正。"

四期警惕人心，"风俗之靡，犹于人心之坏，正俗必先正心。"

一戒剽窃陈言。取前人之法，应忌"一岁一生之草"，宜奉"百年一伐之木"。

二戒网罗旧集。李渔不是"十年磨一剑"类型的作家，笔路厚广，著述丰逸。此句是他的自勉和自省。产量低的作家不必存此忧。但他说的真切，"著则成著，述则成述，不应首鼠二端。宁捉襟肘以露贫，不借裘马以彰富。"

三戒支离补凑。"医贵专门……史贵能缺……一物不遗，则支离补凑之病见，人将疑其可疑，而并疑其可信。"

李渔这个文章，既创了序言的新制，又朴素由心从容立言，对今天奢靡浮丽的文风，可作为生动的观照。

《人间词话》的方法

王国维说"真",用的判断词是"不隔"。

"不隔",即"语语都在目前"。"问'隔'与'不隔'之别,曰:陶、谢之诗不隔,延年则稍隔矣。东坡之诗不隔,山谷则稍隔矣。"

"'池塘生春草''空梁落燕泥'……'阑干十二独凭春,晴碧远连云。千里万里,二月三月,行色苦愁人'……便是不隔。"

"'生年不满百,常怀千岁忧。昼短苦夜长,何不秉烛游''服食求神仙,多为药所误。不如饮美酒,被服纨与素',写情如此,方为不隔。……'天似穹庐,笼盖四野。天苍苍,野茫茫,风吹草低见牛羊',写景如此,方为不隔。"

"'二十四桥仍在,波心荡,冷月无声''数峰青苦,商略黄昏雨''高树晚蝉，说西风消息'，虽格韵高绝，然如雾里看花，终隔一层。"

"温飞卿之词，句秀也；韦端己之词，骨秀也；李重光之词，神秀也。"

"纳兰容若以自然之眼观物，以自然之舌言情。此由初入中原，未染汉人风气，故能真切如此。北宋以来，一人而已。"

"大家之作，其言情也必沁人心脾，其写景也必豁人耳目。其辞脱口而出，无矫揉装束之态。以其所见者真，所知者深也。"

"社会上之习惯，杀许多之善人；文学上之习惯，杀许多之天才。"

《人间词话》是真见解，大见识，也是读书种子的阅读札记，下的是踏实苦功夫。"正文"六十四节，"删稿"四十九节，引证诗过三百，涉及诗逾千首，得出的见识不过数十句而已，但句句难得，真如大和尚的舍利子。好农民种麦子，也是这样的道理，精耕细作，经冬至夏"风霜雨雪"一年到头，收成只是那几斗麦粒。

今人作文学理论研究，少见这样的操守了，满眼里全是麦粒，不见麦苗，不见灌浆，不见收与割。本该是种粮食的，却摇身做了贩粮食的。

文学写作里的真，重要的是不伪与不昧。不昧良心，不昧良知。在两个点上也要留心一下：一是落脚点，也叫立场，不宜伪，不宜虚饰。再是着眼点，要确保看到的东西不是幻象，要经得起历史检查，也不是那类皮影玩意儿，被人在幕后操纵着手脚的把戏。

言者有言

散文的核心是言之有物。

一个人说话,有见地有分量是最要紧的。打比方说,绕弯子说,有分寸着说或实话实说,是说的方式。站着说,坐着说,弯着腰说,对着喇叭说,比划着手势说,是说话时的姿态。在平房里说,在楼顶上说,潜在水里说,站在枝头说,在庙里说,在高堂上说,是说话人的位置。在文学的诸多因素里,方式和姿态是两个概念,位置和有见地有分量也不能混为一谈。位置绝对化了,叫立场。皇帝位极九五,一句话顶一万句,但他的朝代结束了,一万句话里让老百姓记住一两句的也没有几位。写《虞美人》的李煜,没把位置绝对化,但皇帝当得太过于二把刀,诗和词都软沓沓的,把自己写成了千古以降位置最高的"小资"。

艺术手法是技巧,是写作方式,是跳高比赛里的背跃式、俯卧式、直跨式,但无论采用什么式，最后计入成绩的是跳出的高度。一个选手得了世界冠军，他跃杆的方式又是新颖独创的，人们会争着模仿与研究。如果跳出的高度一般，跃杆的方式再怎么创新，都在自娱自乐范畴之内。再比如粉墨登场的戏剧演员，再怎么浓妆淡抹，再怎么水袖身段、台姿台步，赢得满堂彩的，还是嗓子里的活儿。

我家门前是高新四路，向北穿行三百米，再过一个十字，是免费开放的丰庆公园。公园的核心是一个广场，每天早晨都有十几位老人在那里写书法大字。笔是大号毛笔，有小拖把那么粗壮，纸是地上铺着的方砖，一格连着一格。没有墨汁，每位老人的脚边放着一个塑料桶，桶里是清水。"书法家"用毛笔蘸着清水，一笔一画地写着行书或楷书。名字虽然叫广场，地方却有限，每人被局限在一小块范围里。一句唐诗七个字，写到最后一个字的时候，第一个字已经风干了，字迹消隐，接着再从头重来。如此循环往复，往复循环，一个早晨就结束了。

这些老人在练书法，练身体，练精神劲儿。他们从事的工作用一个词概括，叫轻描淡写。

文学新时期三十年，让我们记住了小说家，同时记着他们的小说；记住了诗人，也记着他们的诗。散文家似乎是个例外，我们可以叫出多位散文家的名字，但同时又能说出他们散文作品的却不多。那么多散文作家在"劳动"，但笔下的字迹风干得稍快了些。"辣手著文章"是一个老对联的下联，辣手不仅是手辣，还是眼辣，心辣，指的是有见地，有分量。

散文不能蘸着清水去写，要蘸墨汁，越浓越好。

文学的核心

文学的核心是什么?

我们的传统文明储蓄在三个领域:历史典存、义理学说、文学艺术作品。古代的文艺作品都是在历史典存和义理学说地基上盖的房子,或者换一种说法,是呼吸着这样的空气,享受着这样的阳光照耀,不仅仅有中国特色,而且是中国气派。

上个世纪初放弃文言文,使用白话文,是文化革命,是好事。文化不再是贵族的,不再上智下愚,而是被全体国民共建共有。好事里的不足是传统的文化链条断裂了,打倒孔家店,下手有点重了,失手了,几乎置于死地。一提中国传统,就是落后和守旧,一提西方,就是进步和先进。从上层建筑、国家基础教育,到老百姓的日常生活,这种一概而论贯穿着上个世纪一百年。中华几千年的大历史里,只有这个一百年是完全丢掉自信的。上个世纪里,外国的列强,自家的军阀干下的坏事,我们看得比较清楚了,但文化这棵树上结出的这种恶果至今仍有待反省与内疚。还有上个世纪六七十年代的那场"文化大革命",是国家瞎胡闹行为,把世纪初打倒了的东西又进一步砸碎了,算是彻底革了一次中国文化的命。重构中国文化,重建中国人的文化自信,不是简单的回到过去,而是往前走的事。先别说往前怎么走,就是把打碎了的东西从地上捡起来也是一件需要从长计议的工作。

当代文学的核心是什么?当代中国人的价值观是什么?认识清楚这些问题,恐怕也不是三天两早晨能做得到的。

鲁迅在西安

鲁迅先生1924年7月14日至8月4日,在西安住过21天。

鲁迅西安行的主要工作是应邀在西北大学讲学,7月20日"暑期学校"开学典礼,21日正式上课。自21日至30日,9天中授课12次,合计12小时半。"前11次是在暑期学校,讲题为'中国小说的历史的变迁',最后一次仅半小时,是在讲武堂对士兵讲的,但内容仍为小说史。"演讲稿由西北大学国文专修科两位学生昝健行和薛声震记录梳理,后寄鲁迅校订修改,近三万字,收入西北大学暑期学校《讲演集(二)》。1957年7月,又发表在上海《收获》杂志创刊号上。

当年交通大不方便,鲁迅西安行耗在路上的时间超过半月。由北京来西安走了8天,7月7日动身,14日下午抵达。返程是9天,8月4日启程,12日夜半抵京。来程和返程均是一路坎坷,交通工具是火车、汽车、船、骡马车,还有一段步行。7月7日晚"登汽车向西安，同行十余人，……八日……下午抵郑州"。（《鲁迅日记》。汽车一词袭日文习惯，实是火车）9日上午由郑州坐火车，"夜抵陕州"，10日晨坐船走黄河向陕西，"夜泊灵宝"，11日"晨发灵宝，上午遇大雨，逆风，舟不易进，夜仍泊灵宝附近"。12日"晴。晨发舟，仍逆风，雇四人牵船以进。夜泊阌乡。""十三日星期。晴。晨发阌乡。下午抵潼关，夜宿自动车站（汽车站）。腹写（泻），服Help两次十四粒。""十四日晴。……用自动车……下午抵西安，寓西北大学教员宿舍。"这是鲁迅日记里写到的来程。返程照样还是难行难受，特别一处是，由郑州坐火车走京汉路，行至内丘，"其被水之轨尚未修复，遂步行二里许"。

鲁迅在西安，游了碑林，孔庙，大小雁塔，灞桥曲江等。看了五场秦腔，有《双锦衣》《大孝传》《人月圆》等。给"易俗社"题匾"古调独弹"。在西安期间，走街阅市购买碑帖古物颇多，《鲁迅日记》里均有细述，有趣的一则是，"十二日晴……夜半抵北京前门，税关见所携小古物数事，视为奇货，甚刁难，良久始已"。鲁迅居停西安间，还有一些趣事，孙伏园先生记载，"到西安后某日，鲁迅先生很风趣地带着初学来的陕西方言对我说：'张秘夫（即张秘书，长安土语把秘书的'书'念作'夫'音）要陪我们去看易俗社的戏哉。'"单演义先生记载了康少韩的一段话："有一次鲁迅先生、段凌辰先生、还有我，同游大、小雁塔及武家坡，返至城东南原上，伫立回望，段先生指着庄严的小雁塔说：'似老僧入定。'鲁迅先生当即遥指艳丽的武家坡说：'如美女簪花。'我与段先生齐鼓掌称赞，说是一副绝妙的对联。"

鲁迅对自己的西安行很自谦。"我剪下自己的胡子的左尖端毕，想，陕西人费心劳力，备饭化钱，用汽车载，用船装，用骡车拉，用自动车装，请到长安去讲演，大约万料不到我是一个虽对于决无杀身之祸的小事情，也不肯直抒自己的意见，只会'嗡，嗡，对啦'的罢。他们简直是受了骗了。"（《说胡须》）

还有一点须说，在鲁迅来西安之前的10个月，康有为1923年9月末应邀到西安讲学，讲演11次，住行两个多月。在当年，康有为该圣人负旧势力之尊，鲁迅则有文化新进功德。套用时下一个时尚的政治术语，西安在当年还真有那么一点"包容性增长"的意思。

虚心实腹

"虚其心。实其腹。"老子是把"虚心"和"实腹"对应着说的。

虚心不是一股脑的谦逊,主要指包容包涵。房屋虚心,可以住家。车船虚心,可以载人载物。山谷虚心,可以回声响应。"有容乃大"这个词,是讲虚心的。实腹是充实和扎实,是肚子里有货,是学富多少车。再颠过来说,竹子不是虚心,是虚腹。榆木疙瘩是不开窍,是死心眼。虚心,也指一种浑然的大境界,由实入虚,又因虚落实。这是老子虚与实的核心。

举郑板桥一个实腹例子,是他的一封信,《枝上村再答姜七》。这封信的核心是讲书札与书信区别的:

今以书札与书信相混,不知札与信亦有分别。古时无纸,文字书于小木简,谓之札。《汉书》有云："上令尚书给笔札。"今则不甚分别矣。晋武帝《报帖》末云："故遣信还。"《南史》："晨起出陌头，属与信会。"古谓使者曰信，言陌头与使者相遇也。黄诰云："公至山下，又遣一信见告。"《谢宣城传》云："荆州信去倚待。"陶隐居云："明旦信还，仍过取反。"虞永兴帖云："事已信人口具。"凡云信者，皆谓使者也。今遂以遗书馈物为信，故谓之书信，而谓前人之语亦然，谬已。王右军《十七帖》有云："往得其书，信遂不取答。"谓昔尝得其来书，而信人竟不取回书耳。世俗读往得其书信为一句，遂不取答为一句，大误也。古乐府云："有信数寄书，无信心相忆。莫作瓶坠井，一去无消息。"包佶诗："去札频逢信，回帆早挂空。"此二诗尤可确证。以上所举，可证古之所谓信，乃是使者，并非今之往来之书信。板桥不是自炫渊博，逞弄才情，写此一大段出来，特以君殷勤下问，不能不答，既经答明，此书亦辍笔而止。

　　文学上厘清一个概念，不适用逻辑推理，乏味。更不宜仗势压人。在商言商，行文从文。可以旁敲侧击，可以点到即止，但一定要点到点子上，还要讲究个周到的出处。写文章仅长于抒情，也是不够的。虚心没有实腹做底，是虚高。"虚高有妄言"，这是古人提醒过的。走一个地方，以及看一座山，见一条水，无来由或无新意的感慨一番，自我消遣可以，写成文章，意思就不大了。几十年前有个很出名的散文，看见"田里劳作的人民"，就牵扯出建设新国家的想象，即便不说是妄言，也过于勉强。因为几千年以来，人民一直都在田里劳作着呢。

境界

罗宾·班克尔克博士是英国中世纪文学的研究者,在西北大学任外教四年多了。教书之外,业余时间翻译贾平凹的小说。因为和我比较熟悉,每回见面都说几个难译难解的细处,我请他把这些棘手处归纳出来,约在一个周末,约了平凹主编和翻译专家胡宗峰教授,还有研究贾平凹的年轻学者杨辉、马佳娜夫妇,主题是春天来了,吃一次荠菜馅的中国饺子。平凹主编爱吃素饺子,头天晚上特别打电话叮嘱,荠菜里再放些豆腐最好吃。我说要考虑难调的众口,肉或鸡蛋要放些吧。他说那就包两种馅,我吃放豆腐的。饺子是马佳娜包的,她手艺好,也利索,两种馅,她整整忙活了一上午。我炖了牛肉,用砂锅,慢火煨出来的。开吃以后,平凹主编的筷子主要指向牛肉,我见他忙个不停,提醒他多吃豆腐饺子,专门给你包的。他对胡宗峰说,穆涛这副主编当的,这么多年,我就不知道他会做牛肉。胡宗峰说,我和罗宾吃过多次呢。罗宾胃口好,也实在,饺子牛肉兼容并进。

  罗宾博士和胡宗峰是好朋友，共同做着翻译。罗宾翻译的棘手问题主要是传统文化里的"中国特色"，而这些恰是贾平凹写作中炫技的地方，如《易经》的现实应用，卦呀爻辞什么的，风水常识，中国文字的同音谐意，诗词以及民歌的象征隐喻，等等。平凹主编边吃牛肉边注解，基本上两不误。罗宾博士严谨，手里还有个厚本子，吃是吃了不少，估计砂锅牛肉的好味道他是品不出的。

  话题的核心后来集中在"文学的意境和境界"上，这是翻译过程中文化隔膜比较突出的地方。罗宾博士是研究英国中世纪文学的学者，我向他请教，中国传统文学讲"写境"，也讲"意境"，英国传统文学里相关联的提法是什么？罗宾博士想了好一会，还是摇头想不出。胡宗峰教授说美国学者李又安翻译王国维《人间词话》"词以境界为最上，有境界则自成高格"时，"境界"用的是威式音标。

  文化隔膜是大的东西，也是很具体的，不同人群有不同的精神氛围，氛围之间的相互置换，实现到传神的地步，实在是一件不易的事。

文风

古文为什么不太好读呢?

一是世态变了,民风和文风在跟着演变,人们的生活习惯,包括说话措辞用句方式和以前出入较大。二是汉字本身的变化,我们的汉字是一个一个独立的生命,是有寿数的,仍在使用的,就是健在的,有些不再使用了,如先秦诸子文章里的一些字和词。一个人去世了,要去派出所注销户口,不再使用了的那些字,就是那些被注销了户口的人。三是字词含义的变化,有些是往丰富里变,是含意增值,比如"说""道"这两个字,秦汉以前,仅指"学说""道元",但今天的意思已很多元了。再比如"朝三暮四",今天的意思无需说了,这个词的原意喻指改变习惯的不容易,典出庄子的《齐物论》,一个养猴人给猴子喂"芋"(一种干果),习惯是早晨喂四个,晚上喂三个,一天突然宣布要改变,"曰:朝三而莫(暮)四,众狙(猴)皆怒。曰:然朝四而莫

（慕）三，众狙皆悦。"朝三暮四故事里的那个"芧"字，今天也不再使用了。汉语里还有一些为特殊的人或事件"量身定制"的词，事过境迁之后，词义的价值也随之终止。远的不说，单列举近年的，比如"四人帮""知青"这一类术语，还包括前几年的那个流行词"非典"。

生活习惯导致的文风变化，有些是缓慢的，有些则是突兀的。电话发明以后，"尺牍"这种文体就开始走下坡路了，手机被广泛使用，"短信"这种新文体又蒸蒸日上。书写工具不仅仅是工具，它涉及着行文的方式和思路。由毛笔到自来水笔是一种全新的变，电脑的普及是更新的变，网络语言的恣肆汪洋和生动鲜明，是对呆板的现代汉语书面语言的一种全方位激活，它唤醒的是语言结构的一种革新趋势。

书的单位名称，叫"册""卷""页"，文章叫"篇"，源于"书"和"文"的历史成因，是书和文章"小时候"起的名字。最初的文字是刻在龟甲、兽骨上面，后来发展到竹简上，一片片、一页页、一卷卷放在书案旁或驴背上。读万卷书，行万里路，是以前读书人的自得和自勉。以前的书文字竖排，左右分行，是为了刻写和装束的方便。人的眼睛是左右装置，读书以上下分行文字横排为科学实用，但造纸和印刷术发明以后仍竖排印刷了一千多年。1950年以后，国家对汉文书籍、杂志作出横排的原则规定，但直到1956年9月，"中央一级杂志共有214种，其中横排的187种，占86%"，而且止于今天，香港和台湾地区的印刷物仍为竖排，可见读书习惯是多么的积习难改。

民风的基础是老百姓过日子的方式沉积而成的，但文风的基础不在民间，是"官样文章"推动而成的。一个时代的文风是奢华的，还是朴素的，"归功"于政府的文件和文书。以前皇帝的诏书和政令多为短制，鸿文大论的少，其中一个重要原因是由大臣们手写，也不能由秘书代笔。笔是毛笔，墨要砚磨，文言文的浓缩紧凑是有客观原因的。如果今天仍袭旧例，政府的公文规定由"大臣们"用毛笔手书，肯定不会那么冗长，那些虚话套话和场面话，"大臣们"自己就删掉了。以前官员水平的外在表现是写文件，如今世态变了，星移斗转，有废有兴，今天是念文件。

唐代的古文运动，初衷并不在文学意义上，而是针对着当时公文的流行习气，主张去掉魏晋南北朝以来辞藻铺排的"骈文"腔调，倡行先秦两汉简朴的文风，"言必近真""不尚雕彩""文采不宜伤叙事"。这些主张，在今天看来，仍很有那么一点切中时弊的意思。

设想一百年以后，后人会用什么样的眼珠子看我们今天的文件和公文呢？

再说文风

改变文风先从改变思维习惯做起。

穷人过年的那种思路是过穷日子的无奈,除夕夜里一定要吃上饺子,哪怕过了十五再挎篮子出去讨。那种饺子不是生活的奖赏,而是给自己的安慰,也透着寒碜劲。如今,国内势头好的城市基本建设都在日新月异着,街道、马路、居民区、商贸中心,都是大模大样的。贫困县才"举全县之力"在城中心盖一个"时代广场"。那个广场差不多就是穷人除夕夜里的那一碗饺子。

前几年流行一句话,叫"少谈点主义,多说点思想"。思想是头脑风暴,但这风暴要有秩序感,要清醒,要清楚。在收音机里收听足球比赛,呼啦啦有人冲过去,呼啦啦有人冲过来,但不知道谁在进攻,谁在防御。有人叫好,不知怎么好,有人骂娘,不知差在哪里。入耳的全是音响,但一起都蒙在鼓里。还有"平常心"这个词,养个小狗小猫,或周末到郊外钓个鱼,吃吃农家乐,就自夸是平常心。这是把平常心弄小了。平常心首要的一条,是正常人的心,是健康人的心。忙和闲里都有平常心,但忙里的要大些。

头脑风暴也不仅是政治风暴,人的觉悟和政治觉悟是两码事。《子女眼中的"党内一支笔"》是写胡乔木的,写他平常人的一面,读了可亲可感。《四十二年磨一剑》是长篇散文,讲述姚雪垠写《李自成》。作者是这部小说当年的责任编辑之一。《李自成》是那个政治失常年代里一本重要的书,毛主席亲自过问两次。一位领袖,一位作家,一部书,一家出版社和一个时代,其间构成怎样的关联和默契,是呈现那个时代文风的大东西。改变文风,不是嘴上说说就能做到的事情。

散文是文学的基本建设。好的散文要有切实也切时的思想,别落伍,别过时,不要从旧衣箱里往外拿外婆的旧衣服,拿些珠宝金银是可以的,这些旧货有持久的价值。散文里好的文风指什么?打个比方吧,就是早晨推开窗子,新气息新感觉一下子迎面扑来。有人会说到山里去吧,空气全是新鲜的。这是文学理想,我们当下的文学和文风,距离这样的境界还远着呢。

解放思想

"解放思想"这个词,可以从多个角度去打量。

首先要有思想,没有的话,就不用解放了。老虎关在笼子里,可以考虑放还是不放,如果一个空笼子,就是另外的话题了。

一种思想需要被解放,因为不合时宜,僵化或促狭。被解放了的焕然一新的思想应该除去了这些病灶。被解放了的思想要有所为,除了病灶,还需"另起炉灶"。

"解放思想"这个词,在上个世纪主要指的是破除陈规陋习,打开国门,西风东进。如今解放的成果很"显著",比如西式婚礼很普遍了,中国人传统的"红事"变了颜色,新娘穿了白色的婚纱,但人家穿着婚纱进教堂,我们进招待所。一个孩子名小学名中学名大学,之后去国外,被认为"有出息"。一个教授嘴里不蹦跶出几个半明半白的翻译术语,就显得"业余",不够"专业"。上个世纪的一百年,是中国历史中唯一的一个"不自信"的一百年。上一个世纪,军阀们做的恶劣事情以及恶劣结果,已经被认识到了,但文化上酿的一杯杯苦酒还有待于我们自斟自酌。

解放思想不是拿来主义,而是对真理与真知的深切感应和响应。"学术地沟油"是个新名词,指的是从国外不加分析地套购或搜找回来的一些带问题的东西。学术界怎么解放思想是至关重要的,因为那里是出"标准"的区域。验钞机出了问题,货币的麻烦就大了。中国足球一天一天烂成今天这个样子,烂裁判的恶果大于烂足球官员,是基础防线决口了。

学问,重点在问,问是深研精进的意思,比如问道、问禅、问茶那三个词。学问这种东西,有的化成力量,有的化成趣味,有的化成笑柄,化成笑柄也没有什么,只要别化成加了三聚氰胺的牛奶,那可是比苦酒更恶劣的东西。

简洁

　　简洁,是散文的美德。
　　简洁,不仅指短小的层面。茅草屋里有简洁,高楼大厦里也有简洁。简洁是手法,但透着人的见识和胸襟。简洁是大方,是对事理的了然于胸,是把事情弄个明明白白之后,"秋云再削,瘦漏成文;春冻再雕,玲珑似笔"。这是郑板桥说过的话。丢三落四不是简洁,是笨,是真的拙,是没心没肺。缺斤短两,偷工减料是使奸耍滑。大坛子没酒,新房子漏雨更不是简洁,是简陋。
　　我小的时候,正赶上国人都贫穷着,家里有自行车的都是大户。那时候,流行给自行车搞装修,车把上,大梁上装饰的五彩缤纷。回想起来,那份艺术匠心的基础是穷日子。
　　欧阳修主笔《唐史》的时候,给编修们开过一个著名的编前会。在大街上,见到一匹疯跑的马踩死一条狗,他请大家把这件事写一下,同僚们尽显笔端功夫,十几个几十个字不等。欧阳修说，诸公这么修史，一部唐史，我要盖多大房子才装得下。有人问："内翰以为何如？曰：'逸马杀犬于道。'"欧阳修用的六个字，既周到，也形象传神。

　　事情这两个字，事在前，情在后，由事生情，事是情的生身父母。今天的散文，不会简洁是一个陋处，另一个陋处就是情泛滥，一点小事，百般波澜。网上有一条消息，某省有一位剧作家，大庭广众之下夸省领导的功德，说自己被感动得"每天以泪洗面"，媒体的解读是史上最没水平的奉承话。但这种特色的散文，几十年以来都在以各种面貌存在着。

乡土散文

"乡土散文"这个概念,该是从田园诗演绎过来的。田园诗,是古典诗歌里的大户,也是中国传统文学里的基本面。田园经济是旧中国的核心,土地的内涵是单一的,就是土里刨食,种田吃饭,继而安身立命。以前,无论从事什么职业,都是从土地出发,最终再回到土地。军人讲解甲归田,官员讲告老还乡,读书人讲耕读传家,商人讲置办良田多少多少顷。土地的拥有度是身份的标志,以前皇帝给臣僚发奖金,最耀眼的也是赏赐土地。皇帝是最大的地主,"普天之下,莫非王土"。旧文学里写"袅袅炊烟,鸡犬相闻",写"带月荷锄归",写"暧暧远人村,依依墟里烟"的田园风光,都是围绕着当时的核心价值,是写当时的"主旋律"。

今天的乡土散文,该如何写乡村、乡情以及故土呢?仅仅寻找一份心安,找一份诗意,够吗?

越来越清晰了。当代中国社会改革进程的焦灼点之一就是土地以及土地上的农民。

两亿农民工离开土地,在城市里软着陆,还是硬着陆?但前提是必须要着陆。"娜拉出走",在中国指的是上世纪二三十年代的中国女性,如何走出家庭走向社会并融入社会。如今是两亿"男女娜拉"集体出走。这个庞大的群体,已成为中国改革开放是否成功的要害,是如今政府必须要迈过的一道大坎。

土地的内涵不再单一了,越来越多元,越来越驳杂。一方面讲城市化进程,另一方面讲新农村建设;一方面讲土地的综合开发,另一方面讲十八亿亩土地的红线。十八亿亩土地,是十几亿中国人吃饭的饭碗。

如今作家们走到乡村,回到故土,见不到留守儿童和留守老人吗?见不到教育和信息超远距离滞后以及更多更迫切的焦点问题吗?今天的"乡愁",用"少小离家老大回,乡音未改鬓毛衰"已装载不下了。乡愁是地理的,也是心理的,但这一颗心须是良心。作家最珍贵的是特立独行和文化良知。文化良知指什么?就是感性的浓度不能湮没了理性的判断。一个人感情麻木是可怕的,理性麻木更可怕。

平凹主编写完长篇小说《古炉》后,一连写了多篇散文,用他的话说,"写完《古炉》,还有一些原材料。"《美文》先发了《走了几个城镇》,而后又发了五篇。他是《美文》的掌门人,本不该多发他的文章,但他笔下的乡村,对乡土散文的写作,乃至当下的文风,还是有一点启示和启发的。

高亚平写了一本散文集,叫《岁月深处》。写的是他记忆深处的老家,是他小时候生活过的那片土地,写法属于老照片一族,以曾经的真实反照现实。整本书的调子是无奈又伤感的,因对现实的清醒而伤感。他在这本书的序里写道:"什么时候能在故乡樊川筑一小室,雨天,一杯茶一卷书;晴天,望南山云起云落,或偕三二好友,步行上七八里路,直抵终南山,寻老梅,赏红叶,那该是多么写意的日子呀。可惜,这只是一个奢想。"

网络语言

网络写作对文学语言，乃至文学思维将带来怎么样的影响？

从目前来看，这个问题还带有假设性质。在目前一流或一线的小说家、诗人、散文家的作品里，文学语言似乎依然故我，太阳还是那个太阳，月亮还是那个月亮。但几年，或十几年之后，"八〇后""九〇后"的人成长为一线写作者，这个问题可能就不再只是问题了，恐怕要成为我们必须面对的现实。

中国人经历过一次写作工具的转变，由软笔到硬笔——由毛笔到铅笔、油笔、钢笔。古汉语的突出特点是简洁，包容量大。这与书写工具是毛笔和宣纸关联密切。再早之前，还要刻在龟甲和兽骨上，操作起来更麻烦。现在的政府文件，套话、面子话、车轱辘话冗长繁琐，主要因为有写作班子，还是印刷品。如果规定必须由各级主要官员手书，肯定就不是现在这般模样。书写工具不仅仅是工具，是写作思维的一部分，而且是基础部分。

　　一个时期的文风和一个时期的社会环境及生活习惯密不可分。一个时期的文风也是整体的，尽管具体作家有差异，却是整体面貌中的差异。五四时期是一种面貌，解放区文学时期是一种面貌，建国初期是一种面貌，文革时期是一种面貌，上世纪七十年代以来，全民学外语，作家诗人们"译文体"的模仿语言是一种面貌。如今网络写作不仅仅是文学写作，而且是对生活的直接表达，以前我们中国人表达自己私人生活局限于日记里，如今位移到博客里，空间大了，开放空间也大了。以前，日记是日记，文学是文学，写了《金瓶梅》那样的书，作者是要隐姓埋名的。网络写作带来的转变是，一个人不再以"作家"的身份体验生活，而是以人的身份去面对生活。文学不再是镜子，已成为人本身。

　　可以用餐馆的变化作个参照。一个城市的餐馆，差不多每过十年就进行一次调整，外装修，桌椅，菜的品种，甚至餐具。如今是浮躁的改革年月，调整的周期要更短一些。我们走进一家陌生的餐馆，第一印象非常鲜明，"这是一家时尚馆子"或"这是一家经营不善的馆子"。餐饮的主食是不变的，这是大前提，米、面、鱼、肉、蔬菜等。但烹制手法、样式都在变，有些也是不变的，比如"西湖醋鱼""东坡肘子"这种名菜，已经作为记忆被定格了，成了文化招牌。一个菜成了招牌，就相当于一个作家的作品产生了划时代的艺术魅力。

　　饮食是民风，写作是文风，其中的大道理都是贯通着的。

搜旧书

进了六月,被平凹主编牵扯着,去常熟和上海开了两个会。常熟的会是南京大学、复旦大学、常熟理工学院三个学校联合开的,议题有两个,一是探讨贾平凹长篇新作《带灯》的得失,再是具体探讨贾平凹作品的翻译事宜。会上还有个小插曲,对"社会主义新人"这一文学概念发生了争执,听有水平的人争论问题长知识,也增见识。接下来陪他去复旦大学作了演讲。七年前他在复旦大学讲过一次,因为听者多,主办方不得不在开讲前临时更换了大的报告厅,和主持演讲的教授也走散了,我们赶到新址的时候,人还是多,保安锁了大门,不少人在门前拥挤着。我找到一个保安,指着平凹主编说:"这个人得进去。"保安看了他一眼,然后平静地看着我,不搭腔。我说:"他是贾平凹,今天晚上是他讲。他不进去讲,你下不了班。"保安再看了一眼,这回憨厚地笑了,领我们两个从一个侧门进去了。这次主办方有了经验,晚上的报告,下午才贴出海报。人还是多,座位满了,过道上还站着一些。没有我的座位,我就退了出来,一个熟人说,门前一棵石榴树开花了,满枝头的小灯笼,好看。

我没去看石榴,沿着窄路走,借着黄昏,想看这所好大学以前的旧痕迹。没拐几个弯,见一个小门口,走出去就不是复旦了,是一条陋巷,多是水果冷饮摊子,我挑一处坐下喝水。一瓶水喝了几口往下放,却没有放在地上,而是一堆书之间,摊主告诉我是一位先生年老了在散书,一册十块,不分厚薄。

我选了四种,《歧路灯》三卷,《龙图耳録》两卷,《选玉溪生诗补说》一册,《十四朝文学要略》一册。前两种是小说,我读过,但这两个版本是旧的。《选玉溪生诗补说》是清人姜炳璋对李商隐的诗解,旧式的学人学识,但读着比今天的新学人还新些。《十四朝文学要略》是刘永济先生1928年在沈阳东北大学讲授文学史的讲义,止于隋朝,因此叫十四朝。抗战爆发后,刘先生去了南方,先执教流亡的浙江大学和湖南大学,1942年至建国,做武汉大学的教授,兼文学院院长。我有先生的一册《文心雕龙校释》。1966年"文革"中,刘永济先生戴着"反动学术权威""封建遗老"两顶高冠含冤离世,享年不享,离世时79岁。他的老伴,被邻居们称为"刘婆婆",随后也上吊自杀。"文革"中我们造的孽,真真不少。

四种书共七册,每册十元,我付了七十元。

安黎兄

安黎兄我认识早,1992年5月,《美文》创刊前,他去石家庄约稿子,我当时在《长城》当编辑,编小说。他说平凹主编夸你文章好,有特点,让你写。我明白这是表扬我,是客气话,我很少写文章的。在此之前,我来西安约过平凹主编的小说,聊得特融洽,还下了一盘围棋。我担心他不给我小说,想故意输给他,但他棋技过于低调,未遂。我约到的是他的中篇小说《佛关》,那天下完棋,很晚了,大概过了夜里一点,他拿出一个厚信封,已经封好了,准备寄给《上海文学》的金宇澄,说让我先看看,我如获至宝,取出稿子,把撕开的信封放到他桌子上,连道谢都忘了,穿好鞋出门就走。第二天一早,先去复印,再去邮局,把原稿寄回《长城》,我留在西安看复印件。当年复印费挺贵的,花了两百多块。因为这一层情谊,我特卖力给安黎兄约河北作家的文章,记得还去了铁凝主席家里。去的时候已近中午,铁凝主席在做饭,炖着什么菜,因为招呼我们，好像炖糊了。诸事因缘，不到一年，我也调到了《美文》当编辑。《美文》当年办公条件不太宽裕，没有住处，安黎兄家属还没调到西安，他让我和他同居一个宿舍。我们两个白天各忙各的，下班后到街口吃一碗面，或找个烤肉摊子，小吃也小喝，之后回屋休息。安黎兄平常话少，平凹主编说他是闷雷止谤，但晚上我们聊得多，投缘也投机。我是河北人，对西安乃至陕西的最初了解，多是来自与他的夜谈。他聊得多的，是老家耀县的一些习俗和风俗，他说得投入，我听得着迷，觉着有意思，有意味，也有意义。这天去安黎兄办公室，商量完编刊的事，见到才写完的《风从塬上刮过》，便带回家里，几万字的东西，当晚就读完了。第二天告诉他，我二十年前曾建议你写这些，终于写出来了，发咱《美文》吧，让我当一回你的责任编辑。

当下流行一种"作家地理"的写法。作家写自己的家乡，或去写有特征的外在风物和事物。这样的文章要有真感情才好，还要下些细功夫，骑马观花，或弄成资料汇编，就没大劲了。安黎兄的文章厚实也浑实，也孤傲，很有生命力，如旱塬上孤立的老树，去章法，不剪不裁，但盘虬卧龙，随风依山，守自然铺张之势。一眼看上去没什么，但越看越耐看，根往心底扎呢。

忘我

忘我，是浑然一体的境界。

刀架在脖子上不回头，不是忘我。如果为了真理和挚情，是义。如果为了生活琐事，是犟头。锥刺股，头悬梁，箪食瓢饮，都不是忘我，是一个人往大里长的必需。雷锋那种毫不利己，专门利人，也不是忘我，是善行，是积德。一个人做这些好事时，调子不要拧得太高，也不要和政治觉悟挂钩，否则易有假。放下屠刀，立地成佛，不是指行善，而是幡然觉悟。顿悟是忘我。

还有大我和小我那种说法。小我是我见，我观万象。大我是见我，于万象中见证了我。小我和大我不是对立着的，不是小偷和警察，不是医生和病患。小我是清醒的，我思故我在。大我即忘我，是物我两忘。庄子讲忘我，用的是"丧我""隐机"这两个词。往细处琢磨一下，真是讲得很透彻。

文学写作，要防止假忘我。什么是假忘我？还是举例子说吧。比如一个二胡演员，在舞台上演奏时，一边手动，一边摇头晃脑的陶醉，是"我"在醒着，是在表演。

再摘录杨朔先生《泰山极顶》里的三段，这篇文章写于1959年。

有两只小山鸡争着饮水，蹬翻了水碗，往青石板上一跑，满石板印着许多小小的"个"字。我不觉望着深山里这户孤零零的人家想："山下正闹大集体，他们还过着这种单个的生活，未免太与世隔绝了吧？"

我正在静观默想，那个老道人客气地赔着不是，说是别的道士都下山割麦子去了，剩他自己，也顾不上烧水给我们喝。我问他给谁割麦子，老道人说："公社啊。你别看山上东一户，西一户，也都组织到公社里去了。"

有的同伴认为没能看见日出，始终有点美中不足。同志，你还有什么不满意的？其实我们分明看见另一场更加辉煌的日出。这轮晓日从我们民族历史的地平线上一跃而出，闪射着万道红光，照临到这个世界上。

杨朔先生1968年8月被迫害致死，死因至今都是含糊其词。有三种，一是当年造反派的说法，"杨朔因为对文革不理解，自杀身死"。二是"北京医院病历显示，杨朔因感染肺炎而逝"。三是1980年平反后新华社的报道，"杨朔同志受林彪'四人帮'极左路线的迫害，不幸于1968年8月3日含冤逝世，终年55岁（实际应为58岁）"。杨朔先生那一阶段"创作思路"是怎么形成的？可以参考1956年他写的一段自我述评。"我的政治思想，创作思想，都存在着严重的缺点和错误，距离毛主席《在延安文艺座谈会上的讲话》的指示很远很远呢。不，有些观点、描写根本违反毛主席的指示的，这需要在斗争中继续好好改造自己，好好与工农兵结合，这才有可能写出为工农兵服务的东西。重读旧作，惭愧欲死！"这段话不是会议上的表态发言，是写在自己一本作品集扉页上的自识。

读这段话，再联系到杨朔先生的人生结局，真的觉着悲凉。他生活的那个年月是集体失真的，在荒唐时代里，再了不起的人物也难逃一小，因为时代是小的。

再说忘我

忘我是人生的臻境界。

欧阳修《六一居士传》:"六一居士初谪滁山,自号醉翁。既老而衰且病。将退休于颍水之上,则又更号六一居士。客有问曰:'六一,何谓也?'居士曰:'吾家藏书一万卷,集录三代以来金石遗文一千卷,有琴一张,有棋一局,而常置酒一壶。'客曰:'是为五一尔,奈何?'居士曰:'以吾一翁,老于此五物之间,是岂不为六一乎?'"

苏轼对此的书评是:"自一观五,居士犹可见也。与五为六,居士不可见也。居士殆将隐矣。"

苏轼给他弟弟的一篇文章也写过书评,其中两个细节特有味道:"有妇人昼日置二小儿沙上而浣衣于水者。虎自山上驰来,妇人仓皇沉水避之。二小儿戏沙上自若。虎熟视久之，至以首抵触，庶几其一惧，而儿痴，竟不知怪。虎亦卒去。意虎之食人，必先被之以威，而不惧之人，威无所以施欤？""有人夜自外归，见有物蹲其门，以为猪狗类也，以杖击之，即逸去，至山下月明处，则虎也。"

老子早有大话说在先："吾所以有大患者，为吾有身。及吾无身，有何患？"

南怀瑾先生读《金刚经》，写过一堆偈颂，挑出其中浅近的两偈。"为谁辛苦说菩提，倦卧空山日又西。遥指海东新月上，夜深忽闻远鸡啼。""业识奔驰相续流，茫茫无岸可回头。同为苦海飘零客，但了无心当下休。"

夜读抄

春节编这期稿子,累了就找旧书消遣,读到明人陈继儒《小窗幽记》,真是明人明言,也做一回夜读抄:

食中山之酒,一醉千日。今之昏昏逐逐,无一日不醉。趋名者醉于朝,趋利者醉于野,豪者醉于声色车马。安得一服清凉散,人人解醒。

天下有一言之微而千古如新、一字之义而百世如见者,安可泯灭之?故风、雷、雨、露,天之灵;山、川、民、物,地之灵;语、言、文、字,人之灵。毕三才之用,无非一灵以神其间,而又何可泯灭之?

还有济公的一些诗偈，济公才是真的诗仙。

粥去饭来何日了，都缘皮袋难医。这般躯壳好无知，入喉才到腹，转眼又还饥。唯有衲僧浑不管，且须慢饮三杯。冬来犹挂夏天衣，虽然形丑陋，心孔未尝迷。

健，健，健，何足羡？止不过要在人前扯门面。吾闻水要流干，山要崩陷，岂有血肉之躯，支撑六十年而不变？棱棱的瘦骨几根，瘪瘪的精皮一片，既不能坐高堂，享美燕，使他安闲；又何苦忍饥寒，奔道路，将他作贱？见真不真，假不假，世法难有；且酸的酸，咸的咸，人情已厌。梦醒了，虽一刻也难留；看破了，纵百年亦有限。倒不如瞒着人，悄悄去静里自寻欢。索强似活现世，哄哄的动中讨埋怨。灵光既欲随阴阳，在天地间虚行；则精神自不肯随尘凡，为皮囊作檀。急思归去，非大限之相催；欲返本来，实自家之情愿。咦，大雪来，烈日去，冷与暖，弟子已知；瓶干矣，瓮竭矣，醉与醒，请老师勿劝。

陈继儒说："语、言、文、字，人之灵。"文章是传达思想灵魂的。《死魂灵》那本书是俄国的一本名著，着眼点是正在丧失的社会的良知与良心。一个人的灵魂死了没有什么，不管是伟大的人，还是渺小的人。但如果整个社会的灵魂在衰弱，是需要高度重视的。

赫兹里特是19世纪初的英国批评家，散文写得也挺棒，他写过一文，《论平易的文体》，抄录几段，供读者围观。

平易的文体并非轻易得来……这种文体比任何文字都更加需要精确，或者说，摒除一切陈言套语以及那些若即若离、不相连属、胡拼乱凑的比喻。飘然自来的浮词切不可使用，而要在通行词语中选优拔萃……要像一个完全精通词章之道的人在日常谈话中那样，说话行云流水，娓娓动人，明晰畅达，却无掉书袋，炫口才之嫌。

当然，你无须像在教堂里讲道或在舞台上朗诵那样拿腔作势；然而，你也不可不分轻重，不讲分寸，信口哇啦哇啦，再不然就乞灵于粗俗方音，油腔滑调。

华丽的文章好做，只要在叙事状物之际采用夸大一倍的字眼就行，然而，想要找出确切的字眼，与那一事物铢两悉称，纤毫不差，可就不那么容易了。

要是随心所欲的矫饰就能形成优美的文体，那么只要对某位作家使用的单词长度加以计算，或者只看他如何把本国语言换成累赘的外来语词（不管和内容关系如何），便可判定文风的典雅了。这么说来，为高雅而舍平易，因典丽而失本意，岂不是太容易了吗？

作为一个作家，我竭力使用那些普普通通的字眼和那些家喻户晓的语言结构，正像假如我是一个商贩，我一定使用大家通用的度量衡器具一样。

词汇的力量不在词汇本身，而在词汇的应用。……正像在建筑中，要使拱门坚固，关键不在于材料的大小和光泽，而在于它们用在那里是否恰好严丝合缝。

一个人写文章，只要他不是立志要把自己的真意用重重锦绣慢帐、层层多余伪装完全遮掩起来，他总会从熟悉的日用语中想出一二十种说法，一个比一个接近他所要表达的情感，只怕到了最后，他竟会拿不定主意要用哪一种说法才能恰如其分地表达自己的心意哩！

一个时期有相应的世风，也有相应的文风。汉唐和魏晋自不必说。八股文是硬性规范，是应试作文，也不必说。五四时期，行文方式是这种模样的："今年底春天来底格外早，草儿们一齐争着绿呢，蜜丝李着信差送来一函，要几个人去踏草迎春。她该是有恋爱心呢。"杨朔先生是1968年8月被迫害致死的。1960年写的《荔枝蜜》，结尾一段是："这天夜里，我做了个奇怪的梦，梦见自己变成一只小蜜蜂。"那个年月，谎话和真话是搅在一起的，大文化人也不例外。今天的文风，有报纸和文件的那种方式，也有博士硕士论文的那种方式。官府和学府，是每个朝代里文风的策源地。涉官府的话咱不敢说，如今著名学府里也在倡行论文打假，真是我们这个时代里的文风特色。这两种方式，几十年之后的人，不知会用什么样的眼光来看待。

听说过的两句话

听到过两句话。

第一句是一位大学教授说的。他说《老子》《庄子》《论语》这些书，如果参加今天的大学审评，在初审就会被筛掉，原因有三条：不合论文体例；不符合"学术规范"，也没有参考文献和注释；不是发表在核心期刊上。

第二句是一位领导讲的。他说，1959年到1961年饿死了数百万人，我们称为"三年自然灾害"，这个词值得商榷。自然灾害是天灾，有没有足够的气象和地质统计数据做支撑，证实那三年发生的天灾直接导致失去那么多的生命。究竟是自然灾害，还是人为祸端？

第一句话含的是文风问题，指被过分强调了的学术形式主义。第二句话是事评，就事论事。解放前张季鸾编办《大公报》，有两个原则，一是如实报道事件，倡导朴实务实的文风。再是发表负责任的评论。《大公报》是上个世纪里中国最重要的报纸之一。张季鸾是陕西榆林人,被誉为报界宗师。他五十岁生日时候,于右任先生送去一联:"榆林张季子,五十更风流。日日忙人事,时时念国仇。"周恩来先生1938年曾侧评,"做总编辑,要像张季鸾那样,有优哉游哉的气概,如腾龙飞虎,游刃有余"。能坚持住这两个原则,恐怕也是只有宗师才可以做到的事情。

四月天

> 做天难做四月天,
> 蚕要温和麦要寒。
> 秧要日头麻要雨,
> 采茶姑娘盼阴天。

　　这是江浙一带的乡谚,指的是众口难调,是让天为难的事。
　　天是领导层面。过去的皇帝叫天子,好一点的县长叫青天大老爷。天有天的难场,人有人的苦衷。人长着两排牙齿,打比方说上一排是领导,下一排是群众。咀嚼东西的时候是群众在运动,领导只作把关接应。但咬东西或啃起骨头来,最吃劲的还是上一排牙齿,上边的门牙因而易于脱落,危险指数比较高。人长出的第一颗牙齿是下边的门牙，这喻示着一个真理，万物由根生，基础永远是根本。

好文章难写，难就难在，要把难处写得形象、生动和透彻。

"三界"这个词指的是天界。是欲界天，色界天，无色界天。

住在天界的是天人。欲界天在最底一层，已经离开了地球，但没有脱离太阳系统，还受着日月男女的局限。断了大部分情，但欲根未了。比如思夫的七仙女，爱吃蟠桃的王母娘娘，再比如各路神仙，逢年过节百姓们一定要拜的，否则就给些冷脸色瞧瞧。这个界面里的天人过的是神仙日子，修身养性，漂洋过海，登山赏月，养花护草，菩萨手里也是不离那棵通灵的柳枝的。

第二层次是色界天，这是大自在界，又叫"有顶天"。这是一个很遥远的地方，甚至脱离了银河系统。"假使从有顶天丢一块石头，佛说要十二万亿年才能到我们这个地方"（南怀瑾先生语）。

最上层是无色界天。这是最高境界，已经无所谓自在不自在了。色界天和无色界天里的天人，生育方式都变了，不再是胎生。"欲界天以上，（孩子）有的是从男人肩膀上生，从坐膝边上裂出来的，色界天人只有光色，无色界里的天人，连形象都没有了"（南怀瑾先生语）。这种生育办法，比起试管婴儿和克隆技术，既高明也省力省事。

人情练达即文章，这是古训。练是磨炼，达是透彻。人世间的好文章，就是要写透天是怎么磨炼人的。花花草草，览胜状景的文字，让欲天界的天人多写些吧。

河东与河西

湖水进入秋天日渐澄明，该沉着的都沉着了。

听一位史家聊过，上个世纪一百年里，有几件大事是没有争议的：辛亥革命、五四运动，抗日战争胜利，新中国建国，再就是1977年恢复高考制度。没有争议就是被一致看好。史家是看热闹的，看出门道来才是有水准的史家。这几件有深远意义的大事都是很具体的，也都充满着艰难与苦痛。恢复高考制度这件事的潜在价值还有待被挖掘，1977年破冰凿岩，拉开了中国历史进程又一轮解放思想的序幕，自此走上了改革开放的道路。换一句话说，今日中国的辉煌与强大，是从1977年重新起步的。"文革"十年的最大危害，不仅在于经济基础濒临崩盘，不仅在于践踏了礼仪之邦的文统与道统，更在于查封了国家取士养才的主干道。事情是人才干出来的，大事是大才干的，一个时代里真的人才辈出，才有可能成为大时代。如果"文革"不是十年结束，中国的这条主干道再撂荒一些年月，恐怕真的是国将不国的事情。教育是百年大计，当年的这句口号真真的是沉着又有力道。

甘晖先生是有大责任感的教育专家，担纲着陕西师范大学的领导工作，应邀为《美文》组织了"七七级"毕业三十周年纪念专辑，以今天的视角，反思三十年前中国改革开放的那个重要出发地，名称叫"海平线——写给三十年前的那个早上"。海平线是遥远的，但那里是太阳升起的地方。专辑内多数作者，都是甘晖先生兰州大学当年的同窗。这些文章语言是朴素的，视角是平民的，视野和格局却开阔而宏伟。读着十一位作者的文章，再研习琢磨甘晖先生写的导言，如同见到天空中飞着的一排大雁，普通的叫声里，回响着的却是季节转换的声音。

选择三十年这个时间节点作此专辑，出因"三十年河东，三十年河西"那句老话。这句话是我们老祖宗的箴言，属中国模式。以上个世纪为例，从"五四"到建国是三十年，从建国到改革开放是三十年，这两个三十年间，发生的都是河东与河西的大变化。恢复高考制度以来又是三十年了，这期间是怎么变的呢？我们衷心的愿望是由表入里往实质里变化。

《美文》是小的文学杂志，但创刊二十年来，一直关注国家社会进程，乃至思想进程里大的焦灼点。1997年7月和1999年12月，分别出刊"香港地区作家散文专辑""澳门地区作家散文专辑"，在"回归"的日子纪念两块失地回家。1995年8月，出刊"长城在昨天"，辑录一组散佚民间的老作品，时隔五十年，事逢半百，重温世界反法西斯胜利的喜悦。1999年5月，出刊"本世纪最后的怀念"，以文化的视角，以文学的方式审读"五四"内在的人文含量和现代精神。2011年，出刊"辛亥百年散文专号"。陕西是当年辛亥革命的重镇，1911年10月22日，在武昌起义的第十二天，发动了西安起义，史家的说法叫"打响了辛亥革命的第二枪"。当年涌现的那些人物和事件，构成了现代陕西的重要背景。如果再用河流打个比方，陕西辛亥革命还是延安革命的上游。以文学的方法纪念辛亥革命这件大事并结集出版，在陕西是首次。在国内，我不了解。

文学杂志应该关注社会进程，应该倾听思想的车轮与路轨相互摩擦所发出的声音。

清明

四月清明,又去秦岭里采新茶。这些年,这个节骨眼上总要去一回,成了习惯。选一个茶场,在半山腰上忙活一天,请当地手艺好的师傅炒了,带回来够喝半年的。秦岭里的茶靠天生长,不施化肥,不洒农药,又得天独厚,土壤里富有硒。今年时令的腿脚稍跛一些,雨水也零星,茶树萌芽受了拖累,采回来的不及往年的一半,又狠狠心,分出一点给王大平先生送去。先生退休在家,茶代问候。没给平凹主编送,去年的茶他还有半冰箱呢。再隔两日,王大平先生寄来信函,封内素笺两帧,诗两首,题为《壬辰谢茶》。"可淡可馨还可苦,能群能友复能孤。好笺当写竹松石,画得仙人卖茗图。" 又"老梦支离堪作罢,长安阡陌久成家。已非梅折一枝雪,辜负先生岁岁茶。"

大平先生是《美文》的创刊人物,是担纲审稿的副主编。创刊时他有两个贡献。一是杂志的编次不分设栏目，不同的文章用横线区别开。编散文的通用方法是以写作内容分类，游记一类，读书一类，思考的一类，忆往的一类。分别起些小名，"履痕处处""墨海泛舟""心香一隅""往事钩沉"什么的。这样划分表面上分道扬镳，但是存在着推敲的空间，什么文章不在墨海里呢？哪一位作家的写作没有心香呢？《美文》创刊于1992年9月，当年出刊四期，刊次叫创刊一、二、三、四号。连续用四期杂志创刊，是期刊史上的特例。大平先生后来告诉我，原由有两点，创刊号是在9月，但接下来一期的署序无论是10还是2，均不妥。平凹主编的"大散文说"是新主张，是文体革命，杂志一定要鲜明地去体现，去实践。我当时的回答也得到了他的嘿然一笑：大和尚做法事，和尚集体撞钟4次。今年是《美文》创刊20年，不由得又想念起了当初的一些事。

　　大平先生和我都属兔，长我两轮，是我敬重的师长。1999年那个兔年，他给过我一份心得，恭而录之："本命，我们的本命——写给兔弟"

1.丁是丁，卯是卯，我算老四。
2.短尾，红眼，胆怯。
3.说马是驰骋，说我是逃窜。
4.善跑，却总是跑不过乌龟。
5.早对猎犬说：狡兔死，走狗烹，可他老兄总不听。
6.家住芳草地，有了环境意识，才不吃窝边草。
7.缺唇，心里总存不住话。
8.男有朱玉阶，女有何香凝。
9.最早到月球，诗人让我代表月亮。
10.人家老骂我的孩子，兔崽子。
11.没有一个画家画我。
12.素食主义者。
13."江流曲似九回肠"，柳宗元在写我。
14.杨延辉到黄昏才唱：玉兔升，金乌落……

秩序

说说"秩序"这个词:

秩,从禾,古时的意思是官吏的俸禄。以前的领导发工资不发货币,发五谷,级别越高,"担子"越重。陶渊明不为五斗米折腰,"彭泽县令"的月收入低微,迎来送往又繁琐,索性"心念山泽居"。陶县长辞官还有一个重要背景,他曾祖父是东晋的大司马,祖父和父亲都官至太守,他自己也出任过江州祭酒,经见的大场面够多也够烦,因此,"吾不能为五斗米折腰,拳拳事乡里小人邪"。秩也指级别,"官人益秩,庶人益禄"。清朝有个武职叫"散秩大臣",从二品,但是虚职,有级别无岗位,相当于副兵团级调研员。

序,最早是教练场所。古人的基本才能被概括为"六艺":礼乐御射书数。"设为庠、序、学、校以教之"。序是教射箭的房子。《礼记》里说,"夏后氏养国老于东序，养庶老于西序"。夏后氏是夏朝的代称。在夏朝，序也兼着老干部活动中心的功能。序后来才有了次第的内涵，序言、序曲、序幕、齿序、长幼有序，等等。

秩和序合作在一起，是个有机体，指内在结构的条理、规律和法则的融会贯通。会场的进出有秩序；大街的交通秩序；大雁南北迁徙的时候，以人字形高翔；羊群在草原上散乱着吃草，但从空中往下看，其中则有着与山川大地浑然一体的天然美妙。

文章的本意，也是讲秩序的。《诗经》里有话："厉王无道，天下荡荡，无纲纪文章。"作为文学作品的"文章"一词，可理喻为有文采有章法。写文章，仅文采斐然是不够的，还要讲求内在的浑然一体。起承转合那一套是外在的要求，是写作入门课上讲的东西。大作家的标志之一，就是能够破除外在的定义和程式，建立起自己的写作面貌。好文章较量的是内功，发散的是内力。杂乱无章，不是表面的东西摆放零散了，而是心里没数，是理不出头绪的一团麻。最高境界的章是自然定数，是守天条，老虎身上的花纹是章，那身漂亮衣服可不是买来的，而是天成的锦绣。

传神

肖像画的旧称叫传神。

清人蒋骥著书一册,名《传神秘要》,是具体讲授人物肖像画法的。全书二十七节,第十五节是"用笔层次",是口诀,共二十七笔,第一笔"一画两鼻孔",第二十七笔"画衣领微画两眉"。以前的人学习绘画及雕塑,重基本功夫,不像现在这样过于摆艺术家的谱。"多以口诀相传,几以为非士大夫之艺。"蒋骥是丹青大家,名重当时。《传神秘要》以"研析精微,标举格例……是编始足以补古人所未备",收入《四库全书》子部。蒋骥的爸爸叫蒋衡,是书家,书写十三经进贡给雍正皇帝,获赐国子监学正衔。《四库全书》收录《传神秘要》,前边的摘要特别记写到这一细节,不知是抑还是扬。

写文章也讲传神。

绘画传的是神情和神态，文章要传神韵与神思。

中国人过日子，神是很具体的，也多。山有山神，河有河神，门有门神，家有灶神。村有土地，城有城隍。有病了请药神，没钱了找财神。我们是信守"万有神教"的，物通了灵也是神。枝干上挂着"有求必应"的树，是神树。跟前摆着香炉的石头，是神石。花神近妖，草神是仙。巫，是神的世俗版，是神在世间投下的影子，也可以说是神的草稿。得道的巫叫方士，得天独厚，经天纬地。历史上这样的神人有很多。没水准的巫游走乡野，装神弄鬼，骗个温饱而已。

神父，原产地在国外。到中国来的，叫传教士，但所传之教与中国的教是两码事。每个民族都有自己的教，一个民族"教"没有了，这个民族的大限就差不多了。

神通广大，但守一隅，每个人体内都有自己的神。小学生上课开小差，老师拿粉笔头一掷，说，又走神了！据说，神不在脑子里，也不在心坎里，但神机在哪里呈现呢？蒋骥说："神在两目，情在笑容"，还具体说："画眼皮用笔得其轻重亦取神之要处"，这是画家笔下的神。中医有一个词，也说到眼睛，叫闭目养神。写文章前闭上眼睛多掂量一会儿，就有神来之笔了。

内涵

好的文章都内涵着情感。

春天,树在发芽之前,枝条先开始变柔软。或者换一种说法,冬天里的树落光叶子之后,枝条是僵硬的。这是我对情感在文章中存在形态的认识。

情感深沉着好,可以外露,但要由心底生出,且要自然而然。一个文章里的情感如同一个人的情感,忌粉饰,忌矫情,忌虚伪,往肉里注水,增加了重量,但肉质坏了。

一个文章没有情感,如同无情人,让人躲着走。但情感要控制,要浓缩。情感讲究质量,不以数量取胜。家里有老人无常了,哭得厉害的,不一定是最孝顺的。情感怎么控制?谢灵运说的高远:"升月隐山,落日映屿,收霞敛色,回飙拂渚。"

情感也要通俗。要有烟火气,要有常人的体温,要有人味。情歌都是通俗的,有些还庸俗,却有那么多人传唱。通俗不是肤浅,是被广泛受用。假惺惺的高雅、道貌岸然或装腔作势才是肤浅。伟大的情感这个词很特殊，是在特殊情况下，由特殊人物做特殊事业时体现出来的。伟大的情感不是生活常态，一个人身内身外全部是伟大情感，这不是人，是神。

一个人爱父母，是天经地义，也是自私，因此要往开阔里写。爱山爱水爱花草树木爱身边的动物，是人之常情，但要写出新意，要挖掘出和别人不一样的东西。与众不同才叫别开生面。

真情实感是自然流露出来的。虚假的东西也自然流露，纸包不住火。西安有句土话：听听哭丧的声音，就知道了谁是闺女，谁是儿媳妇。

描写

举两段描写的例子:

在森林里,一个干瘪的果实掉下来的声音让树下的狐狸吓了一跳,狐狸急忙逃窜。老虎远远地看见了,心想诡计多端的狐狸吓得跑掉,事态一定很危险,老虎也开始逃跑。森林里的动物们看见森林之王慌张逃走的样子,以为发生了天灾或是外星人来袭,都匆忙逃走。于是所有动物都试图离开森林,整个森林遭遇前所未有的危机。生活也是一样,不起眼的一个个突发事件主宰着生活。

这是韩国美女作家殷熙耕《鸟的礼物》里的话。上一周在首尔,开一个中韩作家什么什么会,殷熙耕说话的声音很好听,除了笑声,我一句也听不懂,就看临时翻译出来的她的一个文章,这段话是那个文章的开头。很了不起,一念就记住了。

我小的时候上通辽,到电影院看电影,特别激烈的电影,什么名字忘了。鬼和侠互相杀人,我看了之后吓得想撒尿。那时候不知道电影院里有厕所,就走到了台上,因为台上有电影的亮光。我到了台上,找撒尿的地方不好找,绕到大幕的后边,刚要撒尿,被绊倒了。电影的声音特别大,刀的声音,"嗖、唰、嗖嗖、咔嚓"。可是绊倒的时候我已经开始撒尿了,我摔到了人身上。地上有两个人卧倒,白光光的,我摔到了他们身上。地下的人跳起来,说"妈呀!"噔噔跑下台。这人是个女的,她从银幕边上的台阶跑下去,没穿鞋也没穿衣服,我爬起来也跟她跑下去。她双手捂脸。她为什么捂脸?要是我,应该捂下边。她从台上一跑下来,后面几排的人都吓得喊叫:妈呀,鬼来了!接着,全场人都站起来往外跑,还有人说地震了。好多小孩吓哭了。人们互相踩,有人摔倒了……后来,警察来了,警察也不敢进,让警犬先进。救护车抬走了好几个人,可能踩死三个人,踩伤十几个人。

放电影的人吓疯了,他说是真鬼下来了,再也不敢放电影了。可是我知道是怎么回事儿,我是一点一点回忆过来的,有两个人在台上搞破鞋。他们怎么能在台上搞破鞋呢?我不敢。在仓库里和树林里,我也许敢。我摔倒后抱住了他们俩的头,他们俩身上都是汗,那个男的吓死了。救护车的人从台上抬下来一个没穿衣服的男人,就是他。

这是原野《花火绣》里的话。

世上发生的很多大事情,其起因和动机,都是细琐或荒唐的小事;一些冠冕堂皇的大场面,出发点可能就是源于大人物的阴暗小心思。石家庄几个没良心的农民,想多赚几个钱,往牛奶里多加了些三聚氰胺,举国上下从中央到地方整整折腾了大半年。上世纪七十年代,一些重要人物不待见另一些重要人物,一场大规模的"批林批孔"就启动了。孔子去世几千年了,招谁惹谁了?当年陈胜和吴广,也不是什么大事,不是持不同政见。只是没吃的,没穿的,日子实在过不下去了,揭竿而起,闹出了那么大的动静,大秦帝国都瓦解了。

作家的责任和价值,就在于找出生活"五彩缤纷"背后的真相。文学描写的高与低,不在华丽的句子,或优雅的抒情。真知与灼见,才是文学的根本。

一杯水

一杯水才从溪流里舀出来,清亮清亮的,看不见什么,但过一会儿,就会在杯底见些微尘。和尚打坐,就是这个道理。要找出自己内心里的脏东西,隔离出来,然后慢慢消灭掉。越坐,越觉着自己伟大,觉着了不起,不叫修行,叫妄想。

明亮的镜子,染一粒灰尘,是很显眼的。脏镜子上,乌云密布的,什么也分辨不出来。

美国比中国先进几十年,但他们不断地散布"中国威胁论",我们的好邻居朝鲜,报纸上天天喊自己是世界上最伟大的国家。能看出别人的长处,是眼光、眼力和眼界,也是胸襟和肚量。

散文写作不宜热衷于挖掘自己的特长,不断地对自己有惊人的发现,有知识,有文化,有感情,有境界,这种思维路数,有碍于突破写作的大格局。

如今是哲学和科学大碰撞的年月,也是经济和文化大碰撞的年月,这样的社会趋势,散文写作应该以怎样的方式去应对,还真是个大课题。

小的故事

　　小故事里该怎么去藏大道理？

　　《庄子》这本书好，故事和典故一个接一个，言简意赅，不枝不蔓。点到即止，余味无穷。"朝三暮四"是其中的一个。说一个"狙公"养猴子，主食是一种干果，叫"芧"。原来的定量是早晨四个，晚上三个。这一天，狙公要改革，给猴子宣布："从明天起，早晨吃三个，晚上吃四个。"猴子们全体反对，绝食，静坐。狙公说："好，尊重你们的意愿，还按老办法，朝四暮三。"猴子们大悦，集体欢呼。

　　这个小故事，是立体的，可以从多个角度去看。经济学家可能会说，无论朝三暮四，还是朝四暮三，干果的总量没有变化，但投入的方式不同，结果则截然相反。在社会学家看来，有些事情强调不变比强调变会更好。民权专家会举起双手，这是民主赢得的胜利。改革人士也会从中深思，改革并不都是一路朝前走的事情。

纪晓岚也讲过一件和读书有关的具体事。清朝刑讯逼供很厉害，医疗技术又落后，案犯死于破伤风的很多。但有一位公安局长很了不起，殴打犯人手段狠，破案率很高，犯人却无一例致死。两手抓，两手都硬。秘决只有一个，这位局长好读杂书，积累了一些治疗肉伤骨伤的方子。最常用的一个方子是："荆芥、黄蜡、鱼鳔（炒至黄色）各五钱，艾叶三片，入无灰酒一碗，重汤煮一炷香，热饮之，汗出立愈。唯百日以内，不得食鸡肉。""无灰酒"，估计是高度数的烧酒，再讲点卫生。"食鸡肉"，在牢狱内，此条款可免写。

文章见高低不在长或短。跑马拉松得金牌，跑一百米也得金牌。文章写长了，书写厚了，是吃苦耐劳的模范，让人敬重。但如果一个很长的故事，没有更大些的指向，仅仅沉溺于事，可能于此事有所补，但不会有大的响动。

表面的东西

　　摆在表面的东西，多数不是真相，但也不一定是假相。

　　比如经过一片花生地，红薯地或土豆地，看到叶子绿油油的连成片，我们知道，果实是埋藏在下边的土壤里的。但透过枝叶的长势，我们可以判断果实的收成。在这样的状况下，枝叶和果实，共同构成着真相。

　　莲花开放在水面，藕隐身淤泥中。佛是爱莲花的，耳比芭蕉，心如莲花。但佛境界里的莲花不是人眼中的莲花，也不在"出淤泥而不染"那个层面上。"孤舟蓑笠翁，独钓寒江雪"，写的不是人的具体生活，而是精神世界里的真。这位"蓑笠翁"肯定不是靠打鱼为生的人。真相，真知，真境界，这三个词，代表着三个指向，各有各的状态和高度。写文章的时候要留心，别把这三者混为一谈。

　　摆在生活的表面，一眼看上去就知道是假相的，不写也罢，写出来也难写出太大的意思。但苏轼有一节妙文,言短心长:"僧谓酒为'般若汤',谓鱼为'水梭花',鸡为'钻篱菜',竟无所益,但自欺而已,世常笑之。人有为不义而文之以美名者,与此何异哉!"

念旧的水准

念旧念出水准是很不容易的。

念旧的人有浓度。往事、故交、旧物、不老情，都是鸦片，不敢轻易去碰。念旧是走私，都有各自的秘密通道。念旧容不得假，走私的人，怀里揣的，腰上绑的，内裤里夹带的都是真货。偏偏念旧的文字里假的东西多。有个人的，也有政府的，读一些重要人物的回忆录，或随手翻一些印制精美的县志、市志，常有不实之感。读到这样的文字，像喝兑了水的烧酒，也像见了化浓妆的人，只好绕着走开。读过一本当着领导的人给自己修的家谱，实在没法看，不是往酒里兑水，而是往水里倒了一点酒。

念旧是自娱，但要自省。念字里含着审，慎，回头看，重新思考等诸多意思。

念旧的文章，节制是美德。话匣子没盖，或底朝天往外抖落那一套让人厌烦。如果你是皇帝，或是艳星，写日常起居越细越好，越边角余料越引人入胜。如果你不大不小，不太高也不太低，最好挑一些不同寻常的去写。亮家底，别弄成夏日里晒过冬的旧衣服。

念旧的文章不宜秀技巧，笨一点好。我小学时候听过一位"老八路"的报告，老人认字不多，但今天想起来，他真是得了文章大境界的人。他坐着讲，讲激动了也站起来。讲台上放着一片大铡刀，锈迹斑斑。老人个子不高，看上去根本不像挥洒铡刀的人。那把铡刀是两位老师抬进会场的。他那天就是围绕着那把铡刀讲，铡刀的来历，为什么用铡刀，铡刀杀过多少人。老人的右手只有两个指头，大拇指和小手指。他说他敬礼用左手，不用右手，样子不好看。还当众示范了一下，我们在场的都笑了。老人讲了右手三个指头是怎么掉的，他参加队伍时，带着家里的一杆土枪，平原上打兔子用的。有一次火药塞得紧，引不着火，打不响，情急之下，手拿着枪管往地上蹾，一下，二下，三下，四下，轰就响了。他后来就使用铡刀了。

读史治史不是念旧，旨在维新。朱增泉中将是军事家，也是军史家。美国对伊拉克动粗的那一年，他给《美文》写过一年《伊拉克观战笔记》；神舟飞船上天的时候，他是副总指挥，他写了《着陆场纪事》《妻子眼里的航天员》。这些都已成为《美文》编刊史上的亮点。他正在研究中国的"老军史"。《美文》近期刊登了《文武失调的宋王朝》，宋朝经济繁荣，文化茂盛，当年中国的GDP在世界上是很高的（说到GDP，中英鸦片战争时期，清朝GDP占全世界1/3，英国仅占1/20。中日甲午战争时期，清朝GDP是日本的9倍），军事上却是屡战屡败，皇帝被掳，首都被迫南迁，老百姓忍气吞声，流离失所。历史上铸成的这些大错，今天看了仍然触目惊心。

回头看

写历史题材的文章是回头看。

回头看,要有历史观。历史观,就是以什么样的眼光和立场看待前朝的人和事。

前朝差不多都是被推翻的,这是我们中国历史上下朝代之间的基本关系。朝代更替,轻松着说,叫翻开了崭新的一页,但翻动这一页的手指头一点也不轻松,是撕破了脸,大骂大砍大杀,都是枪杆子里边出政权,老百姓都要经历数不尽的血雨腥风。我们的历史是断代史,被割裂为二十五个自然段落。有一个比喻说中国历史是一条长河,还要补充一句,这条长河上有二十四座截流大坝。这些段落是被政治的手术刀切割开的,进行段落连接的是文化传统。政治与文化,在这种节骨眼上就是这么分工合作的。

用今天的眼光看,重视朝代之间衔接和传承的皇帝,都是明君。元朝在这一点上没有做好,他们比较忽视和亡宋的衔接,更忽视中国文化的血脉传统。元朝初年,地方官有半数以上甚至不懂汉语，开会像开国际会议，要带翻译。团结以及振奋民心的工作主要通过各种歌舞戏曲集会，这一点也帮了中国文学史的忙，元曲成为元代文学的制高点。歌舞戏曲成为文化主航道的朝代，是浪漫型的，但从根子上说，执政的人不太熟悉中国历史。清朝也是少数民族掌握国家大政，是由满族和蒙古族联合经营的。他们汲取教训，高度重视文化的传承与融合，具体做的事情有许多，其中之一是整理出版了三种了不起的大书：《康熙字典》《古今图书集成》《四库全书》。这三种书，用今天的政府话说，都叫重点文化工程。

　　回头看，是为了更好地向前走，因此清醒是至关重要的。没有正向感而寻求反向，会从现实的泥淖滑入历史的漩涡。

　　立场，是观察者从什么角度去看问题。有一个真实的例子，是平凹主编和我闲聊时说到的。在贵州某处的一个小山村，一户人家的儿子考取了重点大学，又念完了博士，留在北京工作，儿子很孝顺，常接父母去住，但每一回都要反复做工作。村里人问老汉："北京不好么？"回答说："好是好，就是太偏僻，去一回要走好几天的路。"

　　写历史散文，盲人摸象和坐井观天会失之偏颇。"白头宫女在，闲坐说玄宗"那一种，又过于伤流年。戏说，或信口开河地说，作为娱乐可以，当正经文学事去干，也不太妥当。

时代烙印还是时尚趣味

整理笔记时,又见到了1995年拜望施蛰存先生的访谈记录,密密麻麻的十几页,隐在一个本子的中间。我每每翻阅一次,总要有不同的感慨和启示。一直没有整理出来的原因是由于头绪太多,施先生说的话思绪飞扬。九十岁高龄的人,能保持如此宽敞的思路实在让人服气。说是访谈,其实更多的是老先生自己谈,他戴着助听器。把话筒一样的小东西拿在手里,伸到我面前。他的助手提示我的嗓音要放大、再大,我几乎是喊了。即使是这样,施先生仍沿着自己的思路走,并不太理会我提出的具体问题,后来我就埋头做记录。差不多近一个小时,几乎是施先生一个人在演讲,并且思路清晰、声音洪亮。记得那是5月中旬的一个下午,先生依旧穿着厚棉袍,瘦瘦的,但是有力地坐在椅子里。看着他的神态,恍然感觉这就是现代文化史里的一帧剪影。

施先生说的一点很值得回味,他说目前散文写作的"趣味"太浓,"一时的好恶"

成就了太多文章，不是"深入浅出"，而是"浅入深出"，浅浅地感觉深深地写，"很深沉地，很长篇宏论地说一个小东西"，他说这些文章也不是不好，就是过几年就没什么意思了。今天再回首品味施先生这个观点，有如金石掷地铮铮悦耳。

简单地说，散文无外乎两种，对日常生活的感动和自心灵深处的慨叹，日常生活的感动容易表面化，这是很正常的。日常生活就是表面的东西，起居、出游、饮食、交友、读书、性情好恶，以及成长的快乐与烦恼。这些具体的活动生发的感慨进入文学是自然而然的，一些人指责说这太浮浅，我觉得这种指责不妥，有些过分，就像我们不能指责树叶绿了，枯萎了，又绿了是简单的重复一样，这种简单是高级的简单，这种状态的散文不能被视为"虚假的繁荣"，它们和街道两侧的树木，花草和流动的空气一样有着大的意义。试想一下，一座城市的街头巷尾，道路两旁充满了根雕一类的东西将会是什么样子。

而心灵深处的感慨必须是严肃的，不能随心所欲，更不能"机会主义"。三十年前，一批老文化人，老作家被"解冻"之后的集束喷发，深深感动了那么多人——与他们同龄的，晚辈以及再晚一辈的人。我们有充分的理由相信这些文章将会继续影响下去，影响并指导未蒙难的来者的生存。这种心灵姿态像黄河的"凌汛"一样，有着剧烈的惊天动地的汹涌澎湃，呼哮着，震撼着，摇动着寂寞的河床，甚至有些拖泥带水也在所不辞。只有源于心灵的才能进入心灵，只有风霜之后的才能控诉风霜。

散文写作不能成为显示时代风向的稗草，东南风吹来就快慰自足，就伸出了小手试图拥抱整个世界；西北风一旦莅临，又是一脸的漠然与萎靡。二十年前，有一种健身器叫"呼啦圈"，很是火了一阵子。那种自己把自己摆在中央位置，给自己寻开心的缠绕自身的行为很风趣，不管对身体有无益处，先把自己弄热了再说。细想一下，"文化大革命"就是一个大呼啦圈，全体中国人民从上至下闹在其中。有时候，这种盲目地"弄热"自己也不一定是小的事情，弄大发了就祸国殃民。

还是二十年前，有一个叫汪国真的人快步来到诗坛，但是，稍候片刻，又迈着更快的步伐消逝了，连背景也没有留下。有点类似一部电影中的一个细节，某人在屋中正待着，忽然听到一阵皮靴叩响路面的"咣咣咣"声由远处传来，在门前停了一下，也许是抽了一支烟，又"咣咣咣"地走了，这人打开门左望望，右望望，什么也没有留下。于是这人怀疑了自己，刚才听到的一切是不是真实的。我现在想起二十年前的这幕滑稽剧，也是由散文界目前的零星状态而感发的。我说不好谁是今天的汪国真，也不好说谁在今天的散文界玩呼啦圈。

心灵深处的慨叹应该是浑然而且自然而然的,同时也是一脉正气于胸中的。只是在心里找有趣或找没趣,这样的作品眼前读着可能还行,过几年就显得好笑了。

　　毕竟,能发展下去的才有硬道理。

现代精神与民间立场

最近读到几个文章,是谈"五四"的,有长有短,有深有浅,很是得些启发。"五四"是中国文化传统的分水岭,因为启后,所以也是承前。这些文章的作者和我年龄差不多,都是1949年以后出生的。按理,这个年龄阶段的人看待"五四",该和1900年前后出生的人不一样,对"五四"的理解要简练一些。"五四"以其现代精神革掉了封建旧制式的命,拆除了老围墙,前后左右贯通了思路,进而在文心上真的雕了一个龙,而且是飞舞起来的巨龙。但从散文角度看,"五四"另一个"大成就"正是把散文从正统席位上推了下去,得以使小说、戏剧(乃至后来的电影)升帐掌门,光彩文路。"五四"之后给散文分别了不同名称,杂文、随笔、游记、小品,等等,虽然有这些小名,新文学中这一领域的成就还是相当巨大的,较之以前的"散文",有着更广泛的社会内容,究其小却是伟大的原因,恰在于这些作品内涵着丰厚的作为"五四核"的现代精神，一些作家正是因着这种进步精神而熠熠发光。

我读到的那几个文章是谈"民间立场"的，虽然冠以"五四"的名望，我以为是有悖于"五四"风貌的。

譬如，有个身体结实的人走进一个村子，四处打听，问"你们这里谁最厉害？"有人告诉他是某某，于是，这人便提着拳头上门把某某打了一顿，之后又转悠着去下一个村子。我觉得，这种行为不是"民间立场"。

艺术上的"民间立场"和政治上的"在野党"不一样，它是独立的精神品格，不为对应物而存在。古代的文人是有这种"在野"心理的，我们有"天子呼来不上船"的传统，文人们看待仕途比其他行当的人沉重，要么"学而优则仕"，要么退隐乡野研修学问，以彰显民间的呼声，一俟金裱的诏书下达，立即如衣服口袋里的绣花针堂而皇之脱颖而出。此外，也真有一些高人，放野心于山水俗市之间，游刃心性，之乎者也。这些人也不是那类厌于官场昏暗而"不为五斗米而折腰"的，他们是真实的"不爱江山爱什么"的另类。但也正因为如此，浩瀚的"正史"里，他们仅在册页中留了些"薄姓名"。"五四"的现代精神恰对应着后一种"士大夫胸襟"，解决了"天子呼来不上船"这一取向，不属气节行为，不在达与不达之列，仅与个人情趣爱好相关。章太炎说得实在："守己有度，代人有序，和理其中，孚尹旁达"。梁实秋说得通俗："有个性就是可爱"。

最近一个文章很风趣，作者的态度是天子呼哑了嗓子，他也坚决不上船，"我辈岂是蓬蒿人"。这好像离"五四"精神有点远，事实上，"时刻准备着"不上船挺麻烦的，细想想看，天子真的呼了，意气风发一番，长河咆哮三百里坚持"不同流合污"尚好，万一天子不呼，这等待的痛苦中又平添了一份懊恼。如一个足球运动员，教练偏不给上场发挥的机会，这太累人。另一个文章指责一位农民出身的作家业余收藏不应该赏识石头，这更不像话了，简直和"五四"精神背向而驰，看来"老子英雄儿好汉"，农民出身的作家书房里该挂着一把锄头的。

有一出传统戏叫《除三害》，虽然叫传统戏，我觉得挺有现代精神，那个叫周处的上山杀虎，下渊斩龙，忙乎了几年才知道老百姓更大的心愿是再把他自己处理了。我小时候很不理解这些百姓，现在想通了，周处的出发点还真是有些问题。

总之，把文坛弄成武林不妥，再退一步说，即使是在武林，真正的武士也是不佩剑的。

言立而文明

保勤学长的诗文读着过瘾，却不好谈论。

他的诗很有一股"夫子风采，溢于格言"的劲头，貌似信手拈来，实则用心至痛，是他对世道人理的体察和醒悟。表达方法不拘一格，有些是狂想曲，有些是旧戏文里的快板或慢板，有片段沉吟，有长气贯通，还有简洁又余音绕梁的"掐尖茶"，依文法可勉强归入偈子和双关语。他的诗无论长短，皆围绕着一个确定的方向盘旋或缠绕。他的诗不休闲，纵是娱情娱景的主题，也是删去了闲心的，"写诗浑似学参禅"，他是醒悟者，他的诗是苦酒，多喝几口，即可尝出隐于其中的人生之涩。

他的短文章是即兴的，如同他说话，有见地，有情感，有机锋，有回味。他的短文章给人留面子，基本上是点到即止。他的长文章讲方法，讲路数，他长于给读者挖"阅读陷阱"，且有拨迷雾见亮堂的手段。他的文章讲求真情实感，情由心生，"心生而言立，言立而文明"。难得的是，他思考的内容常闪烁"出格"之光。敢于把脑袋探入"禁区"，晃几眼，再出来。文化上的桎梏是需要文化去突破的，动用粗暴的武手段不行，经济杠杆能撬动的也只是皮毛和外在。中国文化的雾墙是厚实的，这是我们最大的特色。社会的进步，需要清醒的认识力去拨开或洞开层层雾霾。清醒的认识力俗称叫良知，这是薛保勤作品中的可敬可爱之处。

保勤学长的作品有两个看点：清醒的文化意味；守文心之正。用老话说，是"大亨以正，刚中而应"。

把文章写出文化意味，清醒地表达出认识能力，在我们当代写作里是不被强调的，甚至是有意识去回避的。就如同谈烹调时习惯讲"色香味"俱全，这三个字，什么都谈到了，就是不涉及营养。对"文化"这两字的理解，在我们当代生活里也是存在认知误区的。比如政府有一句工作口号，叫"文化搭台，经济唱戏"。这句话暴露出两个盲点，一是不理解文化的本意，不知道经济也是文化的一部分。再是违背了中国人传统行为里的一个基本规矩，我们老祖宗最反感说一套做一套的，坊间的话叫挂羊头卖狗肉。再比如今天的官人写文章，在行内叫不务正业。这句话让人产生两个疑惑：一，官人的正业是什么？二，清朝以前的文章，基本上都是官人写的，评价文章有一个老词叫"品位"，有品有位的人写的叫文章，没品没位的叫"笔记"。如《阅微草堂笔记》，是纪晓岚致仕后整理撰述的。传统文章有一个主要功能，警世道醒人心，古人写文章倡导对世道与人心的独到认识，或独立见解，而这些东西恰是中国文化的中坚内容。今天的文章是不讲究这些了吗？毛泽东当年在延安讲了一句话，"没有文化的军队是愚蠢的军队"，他老人家疏忽说了一句，没有文化的政府是愚蠢的政府。如果当年强调了政府的文化认知，估计今天就不会有这样的业内述评了。

文化不是表面的东西，也不是多读了几本书就叫有文化，文而不化不叫文化。我是这么理解文化人的。在中国的农村，几乎每个村子都有那么一种能人，谁家有婚丧嫁娶的大事，都会请他去料理，甚至邻里失敬，家人失和，他一出面，难迈的门槛就迈过去了。这种人是最基层的文化人。高层次的文化人，对事物的认识力以及行为方式是沿此方向逐级上台阶的。

文化意识，从简单的方面说，可以理解为问题意识、发现意识，用文学表述叫发现之美。发现之美不是只看好的，漂亮的，高大全的，而是既看到生活的高地和洁净地，也要看出凹地和纳污点。每次和保勤学长闲聊时，都能具体地感受到他的问题意识，即使谈及细小的事情，他也能捕捉到事情的另一面。有一次在他的一位陕北老乡家里，他和我说起要下力气写一本关于陕北的书,我问他从哪些方面入手,他说不从高度写,陕北有太多具体的东西需要重新审视,尤其是一些观念和认识,更需要厘清和澄清。我当即向他约稿,希望能在《美文》杂志连载,他当时是爽快地答应了,也不知书成之后给还是不给。

选几段他反思"知识青年上山下乡"的诗,具体窥窥其中的发现之美:

在"浪漫与空想"的旗帜高高招展的天空
蒙昧、盲从、狂热与声嘶力竭的呐喊……

真理被谎言扭曲、遮掩
理性被愚昧凌辱、强奸

风 撕扯着正义的碎片
雨 浸淫着良知的衣衫

知识遭受了灭顶之灾
文明走进蒙昧的深渊……

那是一千多万少男少女的青春大迁徙
那是精神的流放
那是肉体的考验

祸国殃民的历史
势如破竹发生在一夜间

几千年的文明古国何以如此健忘
泱泱大国的神经何以抽风似得多变
文明的种子啊!
为何如此脆弱

指鹿为马的耻辱
为何屡见不鲜

理智的丧失必定走向历史的反面
封建专制的残酷必将适得其反
愚弄人民的政治毕竟不会长久
民族的罪人终将交由人民审判
——《青春的备忘·知青往事追怀》

"大亨以正，刚中而应"，是《易经》里的话，原辞为"动而健，刚中而应。大亨以正，天之命也"。后人的经解为，"无妄，刚自外来，而主于内"。用今天的话讲，是动机清正。孔子很看重文思的动机，"《诗》三百，一言以蔽之，曰：'思无邪'。""思无邪"是孔子编选《诗经》的基本标准，是作品入选底线。古代的读书人把"守文心之正"当作头等事，皇帝用"文正"作为特别桂冠吸附有突出贡献的文化人物，这是中国大历史里为什么有近百人获赐"文正"谥号的原因。中国的旧规矩评论人与事，很强调"正心"，有一个老对联，"百善孝为先，论心不论事，论事贪家无孝子；万恶淫为首，论事不论心，论心世上少完人。"和尚界修行，修的也是动机，修心里的念头，去杂念，去妄念。人是活念头的，万念俱灰的人心是死的，发动机熄火了。一个人做事情，动机端正是基础，由善始而善终。文章千古事，写文章文思清正更重要。一个时代的文风如果是虚饰的，杂芜的，乃至套话空洞话成为公众流行语，这样的时代从文思上讲，就是掉以轻心甚或是失掉文心的。民风和文风都是社会里的大事情，民风的基础在民间，是老百姓过日子的方式。文风的策源地则在政府，在于政府的话语体系，公文，文书，文件，包括官方媒体的语文状态。韩愈当年的"古文运动"，强调"文采不宜伤叙事"，不是文学范畴里的事，而是针对政府文件里"骈四俪六"的虚华习气。

谈保勤学长的文章，扯出文风话题，稍有些远，但他是有职有位的公务员，也不算不着边际，他的文章朴素的一面，文思清正的一面，实在是难能可贵的，在当下来讲，很有那么一点出什么泥而不染的意思。

这个文章写了多日，不知撕了多少张纸，写着写着就觉着不是在写保勤学长，觉着偏了他的轨道。一块石头扔进湖里，一圈圈数着波纹，回头却又找不到石头的落点了。

索性就放下,编辑催促几次也不去管,一个月后已是11月初,这一天外出到沈阳,见街两旁的树大多没有了叶子。叶子是树的外包装,是树的形容词。没有了叶子的树不葱茏,但更接近树的本质。保勤学长的诗文就是沈阳这11月的树,自行卸去了外包装,在嗖嗖的风中传达着本真。

文学，文风，以及中国文化气质

文而不化不叫文化

　　有两句老话是对应着说的。一句是"半部《论语》治天下",一句是"百无一用是书生"。前边一句讲了文化的巨大力量与能量,后边一句讲的是把书读死了的严重后果。读书是吃饭,吃饭长身体,但长身体不是目的,要用结实的身子骨做事情。能吃不能干的,俗话叫饭桶。读死书的叫书呆子,叫书虫。大庙的藏经阁里书虫很多,啃的都是经典,但小身子骨永远都那么大。

　　文要化开,文而不化不叫文化,化开之后是怎么样的状态呢?

　　我举几个例子:

　　在乡下,差不多每个村子都有那么一种人,谁家有婚丧嫁娶的事,都会请他去经理,做执事。这个人不是村长,也不一定读过多少书,但大家信得过他,他有公信力,能把事情料理妥当。这种人就是把"文"化开了。我们中国的历史长,传统文明里的一些原则东西，既可以从书本里面读到，也可以从民约民俗里体会到，还可以在戏文故事里领悟到，而且后两者是活灵活现的。在中国，即使是很偏僻的村子，可能大部分人没读过什么书，但中国传统文化中核心的那些东西，如仁义礼智信什么的，都很熟悉，这是中国特色。现在有大学生村官制度，这是新生事物。这种方法对有的村子可能好，但不一定适合所有的村子，不能一刀切。中国的农村问题厚重杂芜，有些是用新知识能解决好的，有些则解决不好，或者说不好解决。

再比如"空"这个字。

这个字和佛有点关系，很雅。空有两层基本意思，表面的一层是没有，空城计，空屋子，"山中竹笋，嘴尖皮厚腹中空"。深的一层是有，而且是大有。天空里东西很多，太空里更多，但我们的智慧有限，认知的东西很有限。西安有一句土话，是形容人深藏不露的，很形象，很传神，"不要看那人空着手，就以为什么也没拿"。

空还有上境界的指向，"老僧入定""照见五蕴皆空"，即是如此指示。有一宗禅门公案，唐朝一位大和尚叫慧忠禅师，六祖慧能的弟子，做过玄宗、肃宗、代宗三朝国师。肃宗初即位的时候，给慧忠禅师做过两次水平测试，之后才心悦诚服。第一次是聊天，肃宗问慧忠，"国师当年从六祖那里都学到了什么？"慧忠抬头看着远处说："您看到天上的云了么？""看到了，有很多。""请您裁一块下来，装框子里，让我挂在墙上吧。"

这次聊天让肃宗心里不太高兴，觉得自己提的这个问题没水平。过了一段时间，从印度来了一位懂神通的藩僧。在唐朝时候，印度来的和尚地位是很高的，相当于共产党在延安时期从苏联来的懂马列主义的。这位藩僧也了不起，有"他心通"的功夫。"他心通"就是眼睛看看你，就知道你心里想什么。肃宗安排两位高僧见面，试试彼此的水深。两位见面，客套寒暄之后，慧忠问："我听说国师有'他心通'的法力？"

"懂一点，还须向您请教。"

"请国师看看我现在在哪里？"

"您是一国之师，怎么到西川划船去了？"

停了一会，慧忠又问，"现在呢？"

"您又去东边了，在洛阳的天津桥上看耍猴呢。"

"请您现在再看。"慧忠禅师把身子坐端了，脸定平了。

印度和尚看了挺长时间，起身施礼，退着出去了。"他心通"的法门在于捕捉人的念头，心动念动，贼一出手，才会被警察抓住。人是活念头的，任何事情都是由起念开始。万念俱灰，指的是一个人活腻了，什么也不想了。老僧入定，修行的即是心念不动，贼不出手，警察没有办法。慧忠禅师入定了，心念沉寂，印度和尚眼前的景象如观沧海，茫茫一片。禅宗是印度佛教进入中国之后的"中国化"的产物，升了一层境界，上了一个大台阶。"他心通"在印度佛教里是正经功夫，但在中国的佛教里边，被视为"旁门左道"，不入大辙。我们也经常讲马克思主义"中国化"，外来的东西"中国化"，是需要时间的，更需要智慧。

  文要化开是一个层面，但化开之后还要更上层楼。文与化是相互砥砺相互促进的。孙行者法名悟空，孙猴子本事高强，但仅仅本事大还不够，还需要上境界。

文化是有血有肉的

　　文化是活的。或者换一种说法，有生命力的文化，才会持续持久。梁漱溟老人给文化下过一个定义："吾人生活所依靠的一切。"

　　怎么样理解这句话呢？

　　吃是饮食文化，吃后边有农业文化。穿是服饰文化，穿后边有工业文化。吃穿后边还都有商业文化。正在流行的叫时尚文化，已经过时的叫落后文化。居家是建筑文化，出行是交通文化，和平的日子有休闲文化，战争年月有军事文化，人们的生老病死是民俗文化。人的成长要接受教育，国家发达要靠科技，数典不忘祖是把根扎在传统文化里，一个民族在世界之林里真正的强大还要开放着吸收族外文化。

　　一个人做事情的方式，是一个人的性格，叫个性。一个区域里的人做事情的方式，这种集体性格沉淀下来，就叫文化。

在我们中国，这种集体性格的差异是明显的，也是很具体的。生活在黄河流域和长江流域的人，衣食住行之间的差异很大。在黄河流域，陕西人，甘肃人，山西人是近邻，河南人与山东人是近邻，青海人和宁夏人是近邻，但近邻之间的集体性格差异很明显。在长江流域，湖南人和湖北人，江浙人和上海人，差异也迥然存在着。再往远处说，北京人和广东人，南辕北辙的差异更突出。

就陕西省而言，关中人，陕南人，陕北人，三个地方的差异也很大。在关中，西府人和东府人有区别。在陕北，延安人和榆林人有区别。在陕南，商洛、汉中、安康人也是如此。我们有两句涉及文化性格的老话，一句叫"十里不同俗"。一方水土养一方人，民俗和习俗之间的差异是近距离的。另一句话叫"喝一江水长大的"。后一句话指的是不同的文化性格里还有相互融会贯通的一面。我们研究地域文化，既要看到相互区别的一面，还要寻找到相互融合，生发合力的一面。

一个地域的文化性格是一个地域的具体形象，是烙印一样的东西，想甩都不好甩掉，比如上海人的仔细，东北人的粗犷，还有河南人怎么样怎么样。文化建设也是一个地域的形象建设，但这种形象建设不是一朝一夕或者"多快好省"可以干成的，也不是发了财，有了点钱，文化形象就光辉高大了。如今中国的经济是世界的"老二"，但我们中国人行为做事的整体形象，在外国人眼里，实事求是地说，不要说排在第二，前二十名排得进去吗？

在这个问题上，应该讲，当代中国人是愧对我们古人的，是给老祖宗丢脸的。我们中国以前叫"礼仪之邦"，各行当有各行当的规矩，"仁义礼智信"这些东西基本上是深入人心的。如今有两个自我检讨的热词："诚信缺失"和"信仰缺失"，其实都不太妥当，事实上是规矩缺失，我们如今做事情，很不遵守我们老祖宗的规矩。

如今政府高调讲"繁荣文化"，我觉着首先应该对文化有个清楚清醒的认识。

化是讲规律的

文化这个词的重点是"化"字。

"化"是变化。有量变，有质变，还有说不清道不明的那种变。进化、演化、融化、沙漠化、老龄化，这些是量变。有一门基础学科，叫化学，这是讲质变的，一种东西里加入另一种东西，会生成第三种东西。"化"还有很神秘的一面，佛门讲世上的性命有"四生"，胎生、卵生、湿生和化生。胎生是人狗牛羊猪马呀这些，怀胎生下的。卵生是鸡鸭鹅鳖这些，蛋孵化出来的。湿生是蚊子苍蝇这些脏物。湿生是魔鬼道，人只有做了极恶的事情之后，才遭报应转世入魔鬼道。化生是另一番世界，蛹成蝶，羽化仙一类，还有更玄乎的，上辈子是什么，这辈子脱胎换骨又变了什么。

化是复杂的，但讲规矩，是有内在规律的。

我们中国有三本书，是围绕着"化"而成就的。一本是《易经》，"易"这个字的结构是日月变化，上为日，下为月。《易经》是中国人最早的世界观，世界由"乾坤震巽坎离艮兑"八种元素构成，世界的复杂奥妙在于这八种元素之间深层次的作用与变化。《易经》主要讲两方面的内容：一是强调辩证，强调变化。再是强调不变，万事万物都在变化这一规律是不变的。后面一点很重要，不敢疏忽。人类是在对事物如何变化的认识中不断进步和进化的，但人类犯下大的错误，往往与对不变的这一规律重视不够有关。比如皇帝不想死，大臣不想退休，对科学的迷信，对一门科学的阶段性认识不够，等等。

另外两本，一是《礼记》，一是中国历法，土话叫黄历。

中国历法是在对天体运行规律的认识过程中逐步完善定型的。

说说"三阳开泰"这个词。三阳开泰具体指的是立春这一天。三阳指什么？三阳是怎样计算的？按中国旧历的计算方法，一年的开始，从冬至那天算起，那一天，阳气由地心向地面升发，"一阳初动处，万物未生时""今日交冬至，已报一阳生"。二阳在小寒与大寒两个节气之间。每年二月四日前后，阳气历经一个半月的缓慢跋涉，终于突破地表，春回大地。

我们中国地大物博，以前的旧历有六种，黄帝历、颛顼历、夏历、殷历、周历、鲁历。用的多是夏历、殷历、周历，这三种历法旧称"三正"。六种旧历最大的区别是岁首的设置，即一年从哪个月份开始，以哪个月作为正月。周历以一阳初动纪元，以冬至所在的月份为一年的开始，即今天的农历十一月。殷历以今天的腊月（农历十二月）为一年的开始。腊这个字是祭名，这个月里，有很多天地神明要奉祭。夏历的岁首与我们今天的正月相同。秦朝用的是颛顼历，每年的岁首是冬至前一个月，即今天农历十月，一年的开始不叫正月，叫端月。汉初仍袭秦制，到了汉武帝的时候，才废颛顼历，颁行太初历，把岁首定为今天的正月。

《礼记》这本书具体讲怎样遵守天地法则和社会法则，也讲自然界与人相交叉那个神秘地段的法则，可以称之为宗教法则，即如何信奉祭祀各路神明。比如"社稷"这个词，社是土地庙，稷是祭祀谷神的场所。再比如"踏春东行早"那句话，踏春是迎春，夏属火，秋属金，冬属水，土居中央，春属木，木属东方。"盛德在木，迎春东郊"，迎春要往东边去。还有，天旱怎么祭，天涝怎么祭，祈雨和祷雨有哪些区别。奉祭神明用的祭品也有具体的规定，天子用什么，臣子和百姓用什么，都是有严格规定的。

《礼记》具体讲国家体序，社会体序，以及人的体序。

国体有三公九卿。三公是太师、太傅、太保。九卿是少师、少傅、少保、冢宰、司徒、宗伯、司马、司寇、司空。

人的体序为：人生十年曰幼，学；二十曰弱，冠；三十曰壮，有室；四十曰强，而仕；五十曰艾，服官政；六十曰耆，指使；七十曰老，而传；八十九十曰耄；百年曰期颐。

《礼记》这本书，是讲规矩和礼数的，对人的行为规范得很具体，但又不是简单的教条，其中隐含着大智慧。在中国古代，一年四季里，人们每个月适宜干什么，不适宜干什么，要依天意而为，发令员是老天爷，是大自然界。《礼记》第六是《月令》，具体讲一年十二个月的当为当行。我抽出事关春季的几段话，大家瞧瞧：

（孟春）东风解冻，蛰虫始振，鱼上冰（鱼由水底上游），獭祭鱼（獭捕鱼。獭捕鱼之后，一条一条排在岸边，之后食，类似人的祭祀），鸿雁来。

是月也，天气下降，地气上腾，天地和同，草木萌动。

是月也，……牺牲毋用牝。禁止伐木。毋覆巢，毋杀孩虫、胎夭、飞鸟，毋麛，毋卵。毋聚大众，毋置城郭。（这个月，祭品不用雌性，禁止伐树，不能倾覆鸟畜巢穴，不杀幼虫，不杀未出生、刚出生的幼鸟，不杀学习飞翔的鸟。不杀幼兽，不取卵。不聚集大众，不兴土木工程。）

是月也，不可以称兵，称兵必天殃。

（仲春）始雨水，桃始华，仓庚（黄鹂）鸣，鹰化为鸠。

是月也，日夜分。雷乃发声，始电，蛰虫咸动，启户始出。

是月也，……毋作大事（军事），以妨农之事。……祀不用牺牲（杀生）。用圭璧，更皮币（鹿皮、束帛）。

（季春）桐始华（开花），田鼠化为鴽（鸟一种），虹始见，萍始生（池塘里的浮萍）。

时雨将降，下水上腾，循行国邑，周视原野，修利堤防，道达沟渎，开通道路，毋有障塞。

是月也，生气方盛，阳气发泄，句者毕出，萌者尽达（后两句为屈生的芽破土，直生的芽成苗）。不可以内（内即纳，赋税）。……命有司发仓廪，赐贫穷，振乏绝，……勉诸侯，聘名士，礼贤者。

  我们中国之所以叫文明古国，就是因为有一整套完备细致的规矩，这是我们很重要的文化传统。改革开放以后，我们用三十年的时间，实现了经济大飞跃，国家和百姓都富裕了，但是这些年，中国传统中那些宽厚醇厚的东西，规范规则的东西，又随风消逝了多少呢？我们社会生活里发生的那么多信仰与信任的危机问题，是多么的严重和可怕。人情变得比纸还薄了。上个世纪初，有个口号叫"打倒孔家店"，把旧道德砸了一家伙，但那时候懂旧规矩的人还多，下手不算太重。六七十年代"破四旧"，"文化大革命"横扫一切牛鬼蛇神，连孔子都不叫了，叫孔老二。我们是真的善于摧毁一个旧世界，但在建设新世界，尤其在文化领域，社会公德层面做的太少太少。上世纪这两次反孔批孔，把文化传统里好的不好的一锅全端了，这些东西全端走了之后，用"学雷锋""五讲四美三热爱""八荣八耻"这些简陋的新道德是支撑不住我们的社会大厦的。

在汉代,文学意味着什么

"文学"这个词,在汉代的观念里,比今天宽,也厚实。

文学一指文章经籍,《诗》《尚书》《礼记》《易》《春秋》五经之学。《史记·儒林列传》写到刘邦杀项羽之后,"高皇帝诛项籍,举兵围鲁,鲁中诸儒尚讲诵习礼乐,弦歌之音不绝,……齐鲁之间于文学,自古以来,其天性也。""言《诗》于鲁则申培公,于齐则辕固生,于燕则韩太傅。言《尚书》自济南伏生。言《礼》自鲁高堂生。言《易》自菑川田生。言《春秋》于齐鲁自胡毋生,于赵自董仲舒。"

司马迁借公孙弘之口给文学的定义是:"明天人分际,通古今之义,文章尔雅,训辞深厚,恩施甚美。"当年的文学家有三个硬条件:饱学与真知灼见;文章笔法讲究;还得"恩施甚美",这个美字相当于今天美学里的美,不是表面的,是深层次的,给社会,给人生带来深层次的审美享受。杜甫有一句诗,与此遥相呼应,"文章千古事，声名岂浪垂。"

在汉代，文学还是一种选官制度，当时科举考试未兴，是察举制，推荐制，地方大员向中央举荐的人才里，即有贤良文学一科。贤良文学是当年的高端人才，属特举。大致的流程是，依皇帝诏令，地方官吏把举子送至朝廷，皇上廷试，举子策对，之后按见识高低授官。皇上高兴了，会追加提问，一策之后，还有二或三，董仲舒的"天人三策"就是这么出笼的。贾谊和晁错都是经历这种严格遴选脱颖而出的。

汉代和今天有一点相类似，是依靠农民取得的政权，天下打下来了，但管理国家的经验比较少。汉代是"汉袭秦制"，国家管理的多方制度沿袭秦朝。军事上沿用"二十等军功爵"，货币用"秦半两"（12铢钱，旧制24铢为一两）。历法用秦始皇颁行的"颛顼历"，以颛顼历纪年，一年伊始的首月，是今天农历的十月，而且不叫正月，称端月。汉朝经历了刘邦、吕后、文帝、景帝之后，武帝是大帝，不仅开疆守土，还建规立制。实行货币改革，停"秦半两"，用"五铢钱"。维新历法，废颛顼历，颁行太初历，我们今天的农历纪年方法，是由太初历完善而成的。

汉武帝在文化上的贡献也是伟大的。秦朝是先军政治，走军国主义路线。武帝尚武更崇文，"今上（武帝）即位，……于是诏方正贤良之士""延文学儒者数百人""治礼次治掌故，以文学为官""自此以来，则公卿大夫士吏，斌斌多文学之士矣。"（《史记·儒林列传》）"武帝即位，举贤良文学之士前后百数。"（《汉书·董仲舒传》）文学在武帝时期是显学，全国瞩目。

汉代的文学观是大方大器的，强调"文章尔雅，训辞深厚"，但"明天人分际，通古今之义"是写在前边的。比如贾谊的文章，《吊屈原赋》《鵩鸟赋》文辞讲究，但《过秦论》被《史记》收录，《论积贮疏》《论铸币疏》被《汉书》收录，是因其洞察社会趋势与走向，看破世道焦点所在。文学作品被史家采信，是大手笔。

真实 境界 表达

真实是什么，真情实感又是怎么样的状态？用《列子》里的一个老故事照应着去看。

一个河北人，也可能是辽宁南部人，战国时候叫燕人。"燕人生于燕，长于楚，及老而还本国。"这位燕人老了，牙和头发掉得差不多了，叶落便归根。由楚国到燕国，中间要经过不少国家。我们中国人自我标榜有一个词，叫泱泱大国，指幅员辽阔，也指气象万千种。地域宽广，但十里不同俗。以前，大中华是小国林立，西周时候最多有八百多个。战国初期，《战国策》里有明确记载的还有100多个。燕人归故里，从南方到北方，要费很多周折的，如今交通方便了，但那个时候，道路不是通途，骑马或坐马车是标志性交通工具，很时尚，但是稀罕物，也代表身份，普通人无权享受。我估计燕人回家是一次远足，所幸有家乡人和他同行。同行人旅途枯燥了，想逗乐子寻开心，才走到晋国，指着晋城说："这就是燕国城。"燕人"愀然变色"，进了城见到一座"社"，说:"这是你们乡里的土地庙。"燕人"愀然而叹"。"社稷"一词现在代指国家,在古代,社是敬祭土地神的地方,稷是敬祭谷神的地方。同行人指着"舍"(一个老房子),"这是你爷爷爸爸住的地方,你也是在这里出生的。"燕人"涓然而泣",最后指着"冢"(坟地)说:"这是你家祖坟。"燕人"哭不自禁",同行人一看事惹大了,"哑然大笑"说:"逗你玩呢,这是晋国。"燕人很不好意思,擦干眼泪继续前行,等到了燕国,回到了老家,见到了真实的"城社舍冢","悲心更微",心情已经很淡定了。

以前的文章不浪费语言,用词准确,但极生动,"愀然变色""愀然而叹""涓然而泣""哭不自禁""哑然大笑""悲心更微"。这些复杂的感情变化,仅这些词就惟妙惟肖,跃然纸上。

去伪存真,该是什么就是什么,不虚饰,不遮蔽,不删减,不发酵。情感是主观的,受控于主见,情感没有明辨是非的功能。主见受蒙蔽的时候,情感也立竿见影。燕人在晋国的情绪失控,以及回到家乡的"悲心更微"都是情感里的真。淡定是踏实了的真,气定神才闲呢。

真要落在实处,实有四层意味,结实和充实。还要有果实,要收获结果。也要切中现实,思维里的过时和落伍,会失去实。超前要特别留心,超前是以现实做基础的。有一种写作叫科幻,科学幻想,也是以现实作准星的,要通过现实去瞄远方的那个东西。

"艺术真实高于生活真实"这类云山雾罩的话少说为好,会加重文学创作领域假大空局面。至少,也不能把艺术创作中的表达手段和表达目的混于一谈。

在报纸上读过一句话,"要浓墨重彩抒写我们这个时代",我觉得不太妥,一个人化浓妆,可能是去表演,也可能去参加一个什么特定仪式,总之不是寻常的生态。大街上见一个人浓妆厚抹着走路,行人会侧目。一个国家的文学史,也是历史,而且是精神秘史。一个时代里的作家纷纷浓墨重彩着去写作,愿望是好的,但效果不仅会失真,也会留笑柄。

文风朴素着好,别刮浮夸风。

一个文章,或一本书,如果境界不够,就不会留传。境界是"虚"的,但要靠具体的"实"去体现。建筑家造房子,设计师裁衣裳,好的作品和一般作品,区别是很具体的,甚至可以一目了然。杜甫讲"安得广厦千万间",指的是经济适用房,他是诗人,不是建筑家。好的建筑家想的不是多造房子,而是怎么造好一个房子,并且往具体里想,往细节里想,怎么结构,怎么布局,怎么飞檐走壁,怎么通风,怎么采光,怎么上下水。一座房子所需的具体东西都得到独到的落实之后,整个房子才能上档次。境界是被整体烘托出来的,整条河里的水涨了,船自然就高了。冲浪不是航行,是一项刺激运动,那种思路直接导致了忽高忽低。

有一种说法,说文学写作重要的环节,是选好一个题材,打磨好几个细节,写亮几个人物。从这个角度讲也可以,但这种挑肥去瘦的思路是应急的办法,可以突击去获个什么文学奖,或引起一时的反响。"反响"这个词要留神,"反响"就是回声,空气不对流的地方才会有回声。

境界这种东西,是高悬着的,要想表达清楚,措辞要到位。含糊不得,含糊了,得不到。

境界的本意是区别。境地,境况,环境,边境。界碑,界河,界限,眼界,心界,欲界,色界,无色界。

古汉语的表达是细致到位的。比如:

绝高为之京。非人为之丘。
水注川曰溪,注溪曰谷,注谷曰沟,注沟曰浍,注浍曰渎。
木谓之华,草谓之荣,不荣而实者谓之秀,荣而不实者谓之英。
有足谓之虫,无足谓之豸。
狗四尺为獒。

境界高悬,但不是虚无缥缈的,是真实可感的存在。古人表达境界有四句常被引用的文学描述,却是很具象的。一句是陆游的,"老来境界全非昨,卧看蒙帘一缕香"。一句是王国维的,"蓦然回首,那人却在灯火阑珊处"。一句是苏耆的,"上到天门最高处,不能容物只容身"。一句是陶渊明的,"此中有真意,欲辨已忘言"。这四句话,是哲学,更是文学。

表述人生的体会和感悟,用大而空那一套不妥,听着好听,但不实用。举一个现实里的例子。一位名歌星自掏腰包,给一所边远学校的学生解决实际的难处,从人均一份营养早餐,到宿舍房改善,到学习用品,坚持了好几年。老师和学生特别感动,多次邀请这位歌星到学校看一看。成行的那一天,欢迎场面很热烈,很多人都落了眼泪,其中一位贫困生代表抽泣着往她兜里塞了一张纸条，叮嘱她回到家里才能看。歌星严守着和孩子的约定，坐飞机乘汽车，一路上强忍着不看，到北京进了家门的第一件事就是打开纸条，上边写着七个字："感谢党感谢政府"。

孩子的感情是真挚的，只是不太会表达，或者说，我们今天的语文教育没有教会她准确清晰地表达自己。

不仅仅是孩子，我们有些公共语言的表达，也是欠推敲的，比如"战线"这个词，夺取政权的时候，依靠的是枪杆子，是你死我活的斗争哲学。建国多年了，还在讲这条战线，那条战线，听着就不太像和谐社会的术语，大弯子还没绕过来呢。再比如大小商场里常见的"床上用品"，实在过于简陋和粗糙，台湾地区叫"寝具"，比较贴切，但那边有一个词叫"管道"，又不及"渠道"一词的自然和生动。

汉语言的伟大与了不起，截至目前，主要成就还体现在古汉语的运用上。现代汉语成形不过百年，向外面的语种借鉴得多，从古汉语中汲取的养分不太够。一百年前"砸孔家店"时，下手稍重了些。

底线

作家说真话是底线。

真话是实在话。一个人活着,在家里,在朋友间,在社会上,云山雾罩的人是不招待见的。真话是落在实处的话,劲道沉着,掷地有声。真话是不穿漂亮衣裳的,"自然者,道之真也"。真话可能很不中听,甚至还刺耳。真话的难得之处,是在对事物的认知上有新突破,有新发现。真话也不在高处,真话是寻常话,是普通的话。如果一个时期里,说真话被当成高风亮节,视为稀罕物,那么这个时期就是悲哀的,是社会的悲哀。检测社会是否悲哀的方法也简单,读读报纸,听听电视广播,翻翻杂志,心里就有个大概的数了。建设文明社会,民风朴素是重要的,文风实在同样重要。社会文明,不在于是否到处莺歌燕舞,而是惠风和畅,老百姓安居乐业。真话要言之有物,言辞灼灼,但并不是只有持不同政见才是真话,有时候恰恰相反。看美国人奥巴马和罗姆尼在电视上辩论谁能当总统，各自说的那些真话，有不少是可以大打折扣的。

西安一个重要部门搞廉政征文，瞧得起我，让我当评委。我在总评时说，廉政建设不是高屋建瓴，不是从高房子上往下泼水，而是底线建设，是给社会筑防洪大坝。还引用了清初大学者顾炎武的那句话，"士大夫无耻，是谓国耻"。公务员队伍失去规则，等同于国家失去规则。

实话可以实说，也可以打比方说，举例子说，绕弯子说，但无论怎么说，说的心态要平和。跳着脚说，挥舞着拳头说，呼哧带喘着说，义愤填膺怒发冲冠着说，是说话时表情丰富。如果觉着解气，可以这么既歌之又舞之，但不宜养成这么说话的习惯，太劳碌身体。美国第32届总统叫罗斯福，他是唯一连任四届的总统，原子弹就是他下命令研制出来的。但下命令给日本扔两颗的不是他，是他的继任者杜鲁门。罗斯福谈到研制核武器时打过一个比方："说话要和气，但手中要有大棒"。第34届总统艾森豪威尔把这句话往前推动了一小步："（挥舞大棒的时候）不要露出手来，以防手被捉住"。这两句话也可以应用到写作上来，写文章要言之有物，要有真知灼见，但心态要平和。写文章的最高技巧，是不露出技巧。

怎么样理解主见

作家要有主见。

主见不是主子的见解,是自己可以当家做主的想法和看法。主见也不是劳神劳力着去特立独行,成天寻思惊天动地什么的,这样易功利化,更俗气。主见是思维习惯,是生活里的常态,是思考人生和表述人生的基本方式。

丰子恺《给我的孩子们》里有一段话,对怎么样理解主见很有启迪。

瞻瞻!你尤其可佩服。你是身心全部公开的真人。你什么事体都像拼命地用全副精力去对付。小小的失意,像花生米翻落地了,自己嚼了舌头了,小猫不肯吃糕了,你都要哭得嘴唇翻白,昏去一两分钟。外婆普陀去烧香买回来给你的泥人,你何等鞠躬尽瘁地抱他,喂他;有一天你自己失手把他打破了。你的号哭的悲哀,比大人们的破产、失恋、broken heart（心碎），丧考妣、全军覆没的悲哀都要真切。两把芭蕉扇做的脚踏车、麻雀牌堆成的火车、汽车，你何等认真地看待，挺直了嗓子叫"汪——""咕咕咕……"来代替汽笛。宝姐姐讲故事给你听，说到"月亮姐姐挂下一只篮来，宝姐姐坐在篮里吊了上去，瞻瞻在下面看"的时候，你何等激昂地同她争，说："瞻瞻要上去，宝姐姐在下面看！"甚至哭到漫姑面前去求审判。我每次剃了头，你真心地疑我变了和尚，好几时不要我抱。最是今年夏天，你坐在我膝上发现了我腋下的长毛，当作黄鼠狼的时候，你何等伤心，你立刻从我身上爬下去，起初眼瞪瞪地对我端相，继而大失所望地号哭，看看，哭哭，如同对被判定了死罪的亲友一样。你要我抱你到车站里去，多多益善地要买香蕉，满满地擒了两手回来，回到门口时你已经熟睡在我的肩上，手里的香蕉不知落在哪里去了。这是何等可佩服的真率、自然，与热情！大人间的所谓"沉默""含蓄""深刻"的美德，比起你来，全是不自然的，病的，伪的！

你们每天做火车、做汽车、办酒、请菩萨、堆六面画、唱歌，全是自动的、创造创作的生活。大人们的呼号"归自然！""生活的艺术化！""劳动的艺术化！"在你们面前真是出丑得很了！依样画几笔画，写几篇文的人称为艺术家、创作家，对你们更要愧死！

怎么样理解主见，于今天的作家，不是一件小事。

还有一点，挺重要的。要理解或谅解文人和作家们表达主见，假如一个时代里文人和作家都不发声了，不是这个时代的亮点，而是悲哀。读过一段比较触目惊心的话，不知道作者是谁，也抄录在此吧："钱锺书先生很厌恶政治，但并不是不关心政治，是眼见的政治太让他寒心了。他不是一个有意要做隐士的人，而是现实让他太失望，到最后他连说一说的兴趣都没有了。沈从文先生在临终前，家人问他还有什么要说，他的回答是：'我对这个世界没有什么好说的。'沈先生是一个弱者，但他临终的这句话却是强音。""像钱锺书先生一样，王力先生后来也是一个不再多说话的知识分子，他们的沉默，我们可以理解为是对一个可耻时代的控诉，但那样的屈辱，对知识分子的精神打击是毁灭性的，长时期的这样生活，有时可以改变一个人的性格。"

（此文是在陕西省委组织部文化审美干部培训班上的讲稿）